Le Nombre d'or

Le Nombre d'or

Le langage mathématique de la beauté

Fernando Corbalán

Le monde est mathématique

Société éditrice :
RBA Coleccionables. S.A.
Avenida Diagonal, 189
08018 Barcelone - Espagne
RCS de Barcelone ESA 78898350

© 2010, Fernando Corbalán pour le texte
© 2011, RBA Coleccionables S.A. pour la présente édition.

Graphisme couverture : Llorenç Martí
Graphisme intérieur : Babel, disseny i maquetació, S.L ; version française : NoOok
Crédits photographiques : age fotostock, Aisa, Album, Corbis, Getty Images,
iStockphoto
Traduit de l'espagnol par : Youssef Halaoua, Maguy Ly, Laurence Moinereau

Administration, marketing, adaptation éditoriale
Cobra SAS
18-22 rue des Poissonniers
92 200 Neuilly-sur-Seine

DIFFUSION EN KIOSQUE
Service des ventes France :
PROMÉVENTE
(réservé aux dépositaires de presse)
Pour la Belgique :
AMP - 1, rue de la Petite-Île - 1070 Bruxelles
Pour la Suisse :
Naville - 38-42, avenue Vibert - CH 1227 Carouge – GE
Tel : (022) 308 04 44

SERVICE CLIENTS (France)
Le Monde est mathématique
90, boulevard National
92258 La Garenne Colombes Cedex
Tél. : 01 75 43 30 66 (prix d'un appel national)
Pour en savoir plus sur votre collection, vous abonner, payer vos factures d'abonnement,
contactez le service clients : www.mondemathematique.fr
L'éditeur se réserve le droit d'interrompre la publication en cas de mévente.

ISBN : 978-2-8152-0236-7
Dépôt légal : septembre 2011

Imprimé et relié par Rodesa
Villatuerta (Navarre) - Espagne
Achevé d'imprimer : août 2011.
Imprimé en Espagne - *Printed in Spain*

Sommaire

Préface

Le monde dans lequel nous vivons est aujourd'hui plus que jamais régi par les nombres. Certains d'entre eux ont même été dotés d'un nom : le nombre Pi (π), le nombre exponentiel (e)... Parmi tous les nombres remarquables, il en existe un particulièrement intéressant : 1,6180339887... Il est étonnant de constater que ce modeste chiffre a fasciné tout au long de l'Histoire bien plus de brillants esprits que π et e. Durant des siècles, il reçut les appellations les plus nobles : « le nombre d'or », « la proportion transcendantale », « le nombre divin », « la divine proportion », etc. Le nombre d'or, représenté par la lettre grecque Φ (*phi*), a de nombreuses relations et des propriétés numériques incroyables, mais aussi des liens insoupçonnés avec la nature et les créations humaines. Ce livre, conçu comme un guide de voyage au pays de la Divine Proportion, tâchera de vous en faire découvrir les charmes et de vous apprendre à les apprécier.

Ce volume démarre par un passage en revue des multiples usages du nombre d'or dans la science et dans l'art de toutes les époques et par un examen du rôle qu'il joue dans la morphologie animale et florale. Une fois familiarisés avec la divine proportion, nous serons préparés pour nous plonger dans ses particularités numériques et sa passionnante genèse. Nous parcourrons les pages des *Éléments* d'Euclide – le plus grand best-seller scientifique de tous les temps – et nous voyagerons à travers les ruelles de Florence à la Renaissance pour rencontrer son enfant le plus célèbre, Léonard de Vinci.

Une des merveilles de la divine proportion est son inépuisable capacité à générer des figures de grande beauté aux propriétés stupéfiantes, comme en témoignent les polygones rectangles et les polygones réguliers. Derrière ces termes barbares se cachent en réalité des objets géométriques du quotidien comme la carte de crédit ou les étoiles à cinq branches. La première constitue un exemple à portée de main des « rectangles d'or », dont les côtés protègent en leur sein la divine proportion. Autant dire que nous transportons dans nos poches une pincée de « divinité » ! Et si les rectangles d'or sont communs, que dire des étoiles à cinq branches ou des spirales ? Ils ont tous un lien direct avec le nombre d'or et apparaissent ici ou là dans les constructions, les mosaïques et les jeux de tout type.

S'il existe en vérité un fait marquant, c'est bien le lien entre le nombre d'or et la beauté ou la perfection – deux concepts complexes qui ébranlèrent l'humanité. Au cours de cette aventure passionnante, nous pourrons compter avec des guides de luxe : de Vinci, Le Corbusier et d'autres encore qui se sont rendus à l'harmonie de Φ. Si nous éloignons nos regards des travaux de l'Homme et les posons sur la Nature qui nous entoure, là aussi nous attend, énigmatique et souriante, la divine proportion. En effet, la croissance de nombreux êtres vivants suit ses règles. Même les fractales, nouvelles venues dans le domaine de la science, ont des propriétés liées au nombre d'or.

Notre voyage aux côtés du plus étonnant des nombres sera complété par une sélection bibliographique d'ouvrages permettant à quiconque le souhaiterait d'approfondir sa connaissance de la proportion divine et par un index analytique permettant de parcourir facilement ce volume.

Chapitre 1

Le nombre d'or

Que peuvent bien avoir en commun des phénomènes naturels aussi différents que l'agencement des graines d'une fleur de tournesol, l'élégante spirale dessinée par la coquille de certains mollusques et les bras de la Voie lactée, la galaxie qui nous accueille ? Quelle règle géométrique d'une inégalable harmonie se cache dans l'œuvre de grands artistes et architectes, de Vitruve à Le Corbusier en passant par de Vinci et Salvador Dali ? Aussi incroyable que cela puisse paraître, la réponse à ces deux questions est un simple nombre. Un nombre d'une humble apparence, connu depuis l'Antiquité, qui apparaît continûment dans toutes les représentations naturelles et artistiques, ce qui lui valut des appellations telles que « divine proportion », « nombre d'or » ou encore « proportion d'or ». Reproduire ce nombre à l'écrit est littéralement impossible, non pas parce qu'il est excessivement grand (il est à peine supérieur à 1) mais parce qu'il est composé d'un nombre infini de décimales, qui de surcroît ne suivent aucune règle. Bien que nous écartions sa retranscription littérale, nous pouvons nous aider de sa formule arithmétique pour mieux le connaître. Le nombre d'or devient ainsi bien plus maniable :

$$\frac{1+\sqrt{5}}{2} \cong 1{,}6180339887.$$

Plus loin dans ce même chapitre, nous verrons comment arriver à cette formule, mais reconnaissons tout de même qu'à première vue la « divine proportion » ne paraît pas trop impressionnante. À la vue de la racine de 5, un œil entraîné saurait qu'il y a anguille sous roche. En effet, cette racine présente une série de propriétés qui lui valurent le qualificatif peu aimable de nombre « irrationnel » – une classe spéciale de nombres dont nous aurons l'occasion de reparler plus précisément.

À la recherche du caractère divin du nombre d'or, nous pouvons tenter de l'approcher par une autre voie : celle de la géométrie. Il nous faut pour cela dessiner un rectangle dont la mesure du grand côté vaut celle du petit multipliée par 1,618 ; c'est-à-dire un rectangle dont la proportion des deux côtés est le nombre d'or (du moins sa valeur approximative). Si nous le faisons correctement, nous devrions arriver à un résultat similaire au suivant :

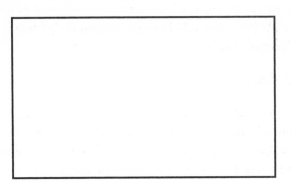

Un rectangle qui répondrait à ces caractéristiques serait un « rectangle d'or ». À première vue, il peut ressembler à un rectangle banal. Faisons cependant une petite expérience avec deux cartes de crédit quelconques. Si nous disposons la première à l'horizontale et la seconde à la verticale, et que nous les alignons selon leurs bases, nous aurons ceci :

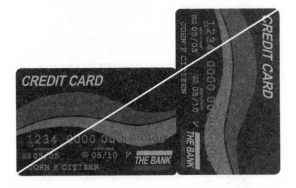

En effet, si nous traçons la diagonale de la première carte et la prolongeons sur la deuxième, aussi incroyable que cela paraisse, elle aboutit pile au sommet opposé de cette dernière. Si nous répétons l'expérience avec deux livres de même format, en particulier des manuels ou des livres de poche, il est fort probable que nous obtenions le même résultat. Cette caractéristique est propre aux rectangles d'or de même taille.

Ainsi, de nombreux objets de forme rectangulaire qui font notre quotidien ont été façonnés en fonction de la divine proportion. Simple hasard ? Peut-être. À moins que les rectangles et les autres formes géométriques qui respectent cette proportion ne soient, pour une raison ou pour une autre, particulièrement harmonieux. Si nous misons sur cette dernière possibilité, nous serons amenés à fréquenter des noms illustres de la peinture et de l'architecture, comme nous le verrons plus en détail au chapitre 4. Ce n'est pas un hasard si la dénomination moderne du nombre d'or est la lettre grecque *phi* (Φ) : c'est aussi l'initiale du nom de l'architecte classique par excellence, le légendaire Phidias.

Un monde doré

L'encre a déjà abondamment coulé pour lever le voile sur le mystère que cache le sourire le plus célèbre de l'histoire de l'art. Mais on peut aussi envisager une solution géométrique à l'énigme. Voyons ce qui se passerait si nous superposions plusieurs rectangles d'or sur le visage de la belle Joconde :

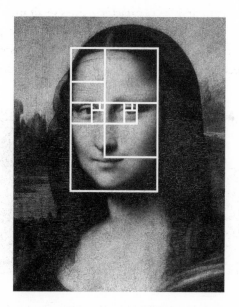

Léonard de Vinci avait-il en tête la proportion d'or quand il réalisa son œuvre maîtresse ? L'affirmer serait aventureux. Il serait moins risqué de se contenter de dire que le génie florentin accordait une grande importance à la relation entre l'esthétique et les mathématiques. Nous laisserons cette question de côté pour le moment.

Mais précisons tout de même que Léonard réalisa les illustrations d'une œuvre au contenu purement mathématique, écrite par son ami Luca Pacioli et intitulée *De divina proportione*, c'est-à-dire *La Divine Proportion*.

Aujourd'hui, De Vinci n'est plus le seul artiste dont l'œuvre laisse entrevoir les diverses manifestations de la proportion d'or, que ce soit à travers le rapport des côtés d'un rectangle ou dans des formes géométriques plus complexes. De nombreux peintres ont fait appel après lui à ces fondements théoriques. En témoignent le pointilliste Georges Seurat ou le préraphaélite Edward Burne-Jones. Salvador Dali, quant à lui, réalisa avec sa toile *La Cène* une œuvre extraordinaire dans laquelle la divine proportion joue un grand rôle. Il ne s'agit pas seulement des dimensions de la toile, 268 par 167 cm, soit un rectangle d'or quasi parfait, mais surtout du monumental dodécaèdre qui préside la scène sacrée. Les solides réguliers qui comme celui-là s'inscrivent parfaitement dans une sphère sont intimement liés au nombre d'or, comme nous le verrons dans le troisième chapitre.

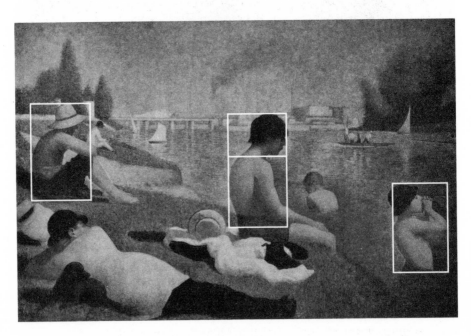

La toile Une baignade à Asnières *(1884) de Georges Seurat est un rectangle d'or.*
Certains éléments qui le forment sont eux-mêmes insérés dans des rectangles d'or,
comme le montrent les lignes blanches ci-dessus.

Intéressons-nous maintenant à la discipline reine des arts appliqués, l'architecture. S'il ne fait aucun doute que la proportion d'or recèle une notion d'harmonie à caractère universel, nous devrions aussi la retrouver dans les tracés géométriques sous-jacents aux édifices et aux constructions. En est-il ainsi ? Une fois de plus, il est risqué de l'affirmer de façon catégorique. À la manière d'une dame coquette qui prendrait plaisir à voiler ses charmes, la *ratio d'or* laisse sentir sa présence dans beaucoup de grandes œuvres architecturales de toutes les époques, comme la Grande pyramide ou quelques-unes des cathédrales françaises parmi les plus remarquables, sans pour autant se révéler totalement. Cependant, il est difficile de rester sceptique à l'examen détaillé de la façade de l'œuvre majeure de Phidias : le Parthénon. On découvre avec ravissement que les divers éléments qui la composent se déclinent en autant de rectangles d'or.

Le secret des roses

Le choix du nombre d'or comme étalon de mesure d'un modèle idéal de beauté n'est pas uniquement un caprice humain. Même la nature semble conférer à Φ un rôle spécial quand il s'agit de « choisir » une forme plutôt qu'une autre. Pour s'en apercevoir, il faut approfondir un peu plus les propriétés du nombre d'or.

ˌ Prenons notre rectangle d'or comme point de départ. Retirons un carré dont le côté est égal à la largeur du rectangle. Nous obtiendrons ainsi un nouveau rectangle d'or, de taille plus petite. Si nous répétons le processus plusieurs fois, nous obtiendrons la figure suivante :

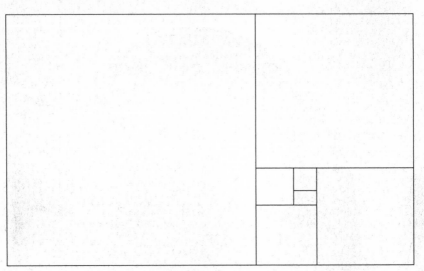

Traçons maintenant des quarts de cercle dont le rayon est égal au côté de chacun des carrés de la figure précédente, avec pour centre leur sommet respectif. Nous aurons ainsi la figure suivante :

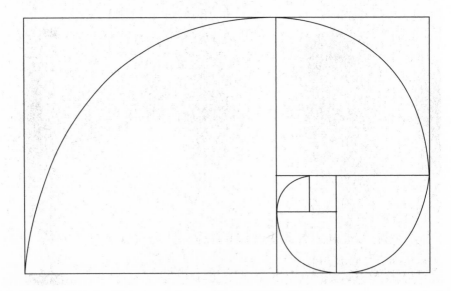

On appelle cette courbe sinueuse, d'une grande élégance, une *spirale logarithmique*. Loin d'être une simple curiosité mathématique, elle peut s'observer très facilement dans notre environnement, de la coquille d'un escargot…

… à la forme des bras des galaxies…

... et, de retour sur la terre ferme, à l'élégance hors pair de la disposition des pétales de rose :

En compagnie de la reine des fleurs, nous entrons maintenant dans un univers où la proportion d'or est l'impératrice suprême : le règne végétal. Sa présence ici est subtile et requiert l'introduction d'un nouveau concept mathématique : la suite de Fibonacci. Cette série numérique, décrite par ce mathématicien italien du XIIIe siècle, démarre avec les chiffres 1 et 1, à partir desquels chaque nouveau terme est issu de la somme des deux précédents. Les quinze premiers nombres de cette série infinie sont les suivants :

1, 1, 2, 3, 5, 8, 13, 21, 34, 55, 89, 144, 233, 377, 610.

Le rapport entre un terme quelconque de la suite et celui qui le précède tend vers Φ au fur et à mesure que l'on avance dans la série. Vérifions-le :

$$1/1 = 1$$
$$2/1 = 2$$
$$3/2 = 1,5$$
$$5/3 = 1,666\ldots$$
$$8/5 = 1,6$$
$$13/8 = 1,625$$
$$21/13 = 1,615348\ldots$$
$$34/21 = 1,61904$$
$$55/34 = 1,61764$$
$$89/55 = 1,61818$$
$$144/89 = 1,61798$$

$$\Phi = 1,6180339887\ldots$$

Lorsqu'on arrive au quarantième terme de la succession, le quotient s'approche du nombre d'or avec une précision de 14 décimales. Les relations entre la proportion d'or et la suite de Fibonacci sont multiples et insoupçonnées, nous le verrons en détail par la suite. Nous nous contenterons dans cette introduction de signaler les étonnantes correspondances qui se nouent entre l'univers abstrait des nombres et la réalité tangible. Ainsi, le rêve de Pythagore devient-il réalité dans un cadre d'exception.

Nous prendrons comme exemple à cet effet deux fleurs différentes. En premier lieu, observons la fleur de tournesol ci-dessous, ainsi que l'agencement de ses graines :

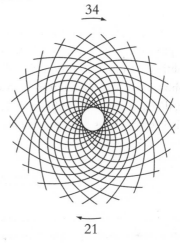

Nous nous rendons très vite compte que les graines forment des spirales concentriques qui tournent soit dans le sens des aiguilles d'une montre, soit en sens inverse. Si on les dénombre, on obtient deux résultats en apparence anodins : 21 et 34... Deux nombres que nous avons déjà rencontrés...

Il s'agit en effet de deux termes successifs de la suite de Fibonacci. Si nous répétions l'expérience avec d'autres fleurs de tournesol, il est fort probable que nous obtiendrions le même résultat. À défaut, nous aurions une autre paire de nombres de la même suite, en particulier 55 et 89. La présence de la proportion d'or parmi les plantes et les arbres ne se réduit pas seulement à cet exemple. La disposition des branches de certains arbres, le nombre de pétales de multiples fleurs, et même la forme de leurs feuilles en sont autant d'autres illustrations. Une grande partie du cinquième chapitre est destinée à explorer cet agencement magique des nombres et des formes, de l'abstraction et de la réalité.

Nombres irrationnels et suites numériques, Phidias et De Vinci, roses et tournesols : un authentique « monde d'or » dont l'étude détaillée commence par son origine, le nombre Φ.

Les nombres

Comment serait le monde si nous nous endormions une nuit et que, durant notre sommeil, disparaissaient tous les nombres et, avec eux, la pensée numérique ? Le lendemain, au réveil, nous aurions un monde sans ordinateurs, sans radio ni télévision, sans téléphone portable ni fixe, sans même le four à micro-ondes pour réchauffer notre lait du petit déjeuner… Et nous ne sommes pas encore sortis de la maison ! La société humaine ne peut exister sans les nombres. Leur présence est écrasante, pas seulement dans notre société née de la révolution digitale, mais depuis toujours. Les nombres ont régi l'activité humaine depuis ses origines et représentent une partie aussi fondamentale qu'impressionnante de notre outillage mental.

Toutes les civilisations ont développé les nombres pour mener à bien leurs activités, aussi basiques soient-elles. Chaque culture les a représentés à sa manière, et, depuis la nuit des temps, les ressources mathématiques dont disposent les hommes ont été mises au service de ces quatre activités centrales : compter, ordonner, mesurer et codifier.

Les deux premières fonctions sont les plus évidentes et les plus logiques. Pour compter, il faut attribuer des nombres à des objets, c'est-à-dire les numéroter. Une fois que nous avons une série d'objets numérotés, notre action spontanée est de les mettre en ordre. C'est nettement plus tard que sont apparues les deux dernières fonctions, qui sont bien plus complexes. Mesurer nécessite de définir une unité-étalon pour chaque grandeur puis de les comparer afin de pouvoir utiliser les résultats obtenus. Bien plus récente encore est la dernière grande fonction des nombres : la codification. Apparue la dernière, elle a cependant acquis une importance vitale pour notre société moderne.

BRAHMAGUPTA (598-670)

Le mathématicien et astronome indien Brahmagupta publia en 628 le *Brâhma Siddhânta*, premier livre dans lequel apparaît le système décimal complet, quasiment identique à celui que nous utilisons aujourd'hui. Cependant, ce sont les Arabes qui ont universalisé la manière d'écrire les nombres.

LE CHIFFRE 0 : SANS DOUTE LE PLUS IMPORTANT DE TOUS.

La pierre angulaire de notre système numérique est le 0. Georges Ifrah, mathématicien et historien des chiffres, explique que, « *sans le zéro et le principe de position, il n'aurait jamais été possible d'atteindre ni la mécanisation ni l'automatisation du calcul* ».

Essayons une multiplication toute simple : 138 par 570. Effectuons-la dans un système de numérotation non positionnel quelconque, par exemple, le système romain. Il s'agit donc de multiplier CXXXVIII par DLXX. Supposons que nous sachions par où commencer ; ce qui est sûr, c'est que nous ne saurions comment terminer. C'est une tâche infinie, un véritable supplice. Nous nous sommes pourtant limités à des nombres de trois chiffres et à une opération toute simple, la multiplication.

Ce cas illustre la propriété clé de notre système moderne de numérotation. Il ne s'agit, en effet, pas seulement de la base employée (10). Chaque chiffre ne se définit pas seulement par sa forme (1,2…) mais surtout par sa position par rapport aux autres (12, 21). Dans notre système décimal positionnel, peu de chiffres se suffisent à eux-mêmes pour qualifier un nombre. Selon leur position à droite ou à gauche d'un autre chiffre, ils ont une valeur différente.

Mais le plus important fut de donner un nom (et d'attribuer un chiffre) à l'absence de toute unité. Ainsi, pour indiquer qu'il n'y a rien, nous ne disons pas : « Il n'y a aucune unité » mais « Il y a zéro unité ». Et, au lieu d'écrire *rien*, nous écrivons un 0 (au début, il s'agissait d'un simple point : « · »).

L'attribution d'une valeur au néant équivaut au parallèle entre la *non-existence de quelque chose* et l'*absence de quelque chose*. Ce qui paraît être une évidence aujourd'hui est néanmoins ce qui permit l'accélération irrépressible des échanges, du commerce et ainsi du progrès humain. La Renaissance, époque incroyablement prolifique, naquit avec un fait aussi simple que l'introduction du zéro.

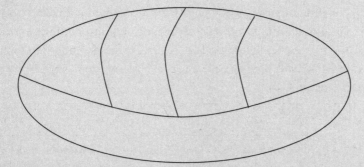

Le premier usage connu du zéro autonome est un hiéroglyphe maya du Ier siècle avant J.-C. (cf. illustration). Dans la codification adoptée par cette civilisation, le 1 était représenté par un point, le 5 un tiret, le 14 quatre points et deux tirets, etc.

Les premiers nombres utilisés par l'humanité furent les nombres dits *entiers naturels* (1, 2, 3, 4, 5…). La théorie pythagoricienne, aussi influente dans la Grèce classique que fondamentale dans les mathématiques contemporaines, énonçait que les nombres entiers naturels permettaient d'expliquer le monde ainsi que toute la réalité environnante. Le quotient de deux nombres entiers naturels, autrement dit une fraction, correspond à un nombre rationnel. En effet, « rationnel » dérive de « ration », qui elle-même a la même racine que « raison » quand elle s'applique à une proportion entre deux quantités. Par conséquent, « rationnel » dérive aussi du terme « raison » mais davantage dans le sens d'une relation que de quelque chose de « raisonnable ».

Pythagore et son école savaient déjà, il y a vingt-cinq siècles, que $\sqrt{2}$ n'était pas un nombre rationnel, c'est-à-dire qu'il ne pouvait s'exprimer comme le quotient de deux nombres entiers naturels. Mais une telle idée infirmait les fondements mêmes de sa théorie qui posait le nombre entier naturel et indivisible comme base de l'univers. Les pythagoriciens attribuaient aux nombres un caractère sacré et pensaient qu'à travers eux tout pouvait se mesurer et s'exprimer.

On appelle « irrationnels » les nombres non rationnels : une appellation aussi peu affectueuse qu'adéquate pour signifier, en réalité, qu'il s'agit de nombres qui ne peuvent s'exprimer comme le quotient de deux entiers naturels. Imaginons le désarroi des pythagoriciens devant des grandeurs réellement *irrationnelles*, réellement impossibles à mesurer, comme la simple diagonale d'un carré dont le côté mesurerait une unité (ce qui équivaut en fait à $\sqrt{2}$). On ne s'étonnera donc pas qu'ils aient essayé de cacher une trouvaille aussi gênante.

Il existe de nombreuses différences d'ordre mathématique entre les nombres rationnels et les nombres irrationnels. Mais la plus ludique et la plus immédiatement accessible à l'intuition est certainement celle que nous pourrions appeler leur « musicalité ». Cette différence n'est pas strictement mathématique, mais repose sur une base qui, elle, l'est. En effet, l'écriture décimale des rationnels et des irrationnels est distincte.

Les décimales des rationnels reproduisent une séquence qui se répète, une « période ». Les décimales des irrationnels, quant à elles, ne se répètent avec aucune périodicité : elles apparaissent l'une après l'autre, en désordre. Ainsi, si nous assignions une note à chaque chiffre et jouions la partition correspondant aux décimales d'un rationnel, nous écouterions, à la manière du refrain d'une chanson, une mélodie qui se répète. À l'inverse, dans le cas des nombres irrationnels, les notes sonneraient sans rime ni raison, et jamais nous n'obtiendrions une quelconque mélodie.

L'IRRATIONALITÉ DE $\sqrt{2}$

Supposons que $\sqrt{2}$ soit un nombre rationnel. Cela voudrait dire que $\sqrt{2}$ peut s'exprimer comme le quotient

$$\sqrt{2} = \frac{p}{q}$$

où p et q sont deux nombres entiers naturels et premiers entre eux (c'est-à-dire sans facteurs communs). Effectuons le produit en croix puis élevons au carré de chaque côté :

$$2q^2 = p^2.$$

Ainsi, p est nécessairement un nombre pair. Mais si p est pair, alors $p = 2r$ et

$$2q^2 = 4r^2,$$

donc en simplifiant,

$$q^2 = 2r^2.$$

q est donc lui aussi un nombre pair. p et q sont ainsi tous deux des nombres pairs. Par conséquent, ils ont un facteur commun, 2. Quel que soit l'endroit où l'on se positionne, le résultat est une contradiction. De ce fait, la supposition initiale, $\sqrt{2}$ est un nombre rationnel, est fausse.

La définition du nombre d'or

Le nombre d'or est un nombre irrationnel, représenté par la lettre grecque *phi* (Φ). Il fut découvert par les Grecs de l'époque classique. Sa première trace écrite remonte à l'an 300 avant Jésus-Christ, dans un ouvrage qui compte parmi les livres les plus célèbres, les plus imprimés et les plus commentés de l'Histoire : les *Éléments de géométrie* d'Euclide.

Cette œuvre maîtresse d'Euclide est le premier best-seller scientifique de l'histoire de l'humanité et compte parmi les ouvrages fondamentaux de notre culture. L'objectif d'Euclide dans ce livre était double. Dans un premier temps, il s'agissait de faire la somme des connaissances mathématiques de l'époque. Euclide voulait composer une sorte d'encyclopédie qui puisse servir de manuel d'enseignement des mathématiques. Par ailleurs, il souhaitait présenter un *modus operandi* pour démontrer des résultats et construire une théorie mathématique, au moyen d'axiomes et de règles de déduction.

La réussite des *Éléments* dans ses objectifs est indéniable. À tous les niveaux, son influence fut décisive dans le développement des mathématiques universelles. Au XXe siècle, le mathématicien et vulgarisateur Lucio Lombardo Radice écrivait : « Après la Bible et les œuvres de Lénine, les *Éléments* est le livre le plus édité et le plus traduit. Il était, jusqu'à il y a encore quelques décennies, le manuel de géométrie pour l'enseignement secondaire. » Étant donné que les mathématiques sont une matière obligatoire dans quasiment tous les systèmes scolaires du monde, tous les êtres humains qui sont allés à l'école ont ainsi lu les *Éléments*, caché dans leurs manuels scolaires.

EUCLIDE D'ALEXANDRIE (v.325-v.265 AV. J.-C.)

Malgré son importance dans l'histoire des mathématiques, on connaît très peu de choses avec certitude sur la vie d'Euclide. Il est d'ailleurs souvent confondu avec son homonyme, Euclide de Mégare. Euclide d'Alexandrie naquit vers l'an 325 av. J.-C. En l'an –300, il dirigeait le département de mathématiques au Musée (temple des Muses) de la ville d'Alexandrie. Ce lieu était le principal centre scientifique de toute la Méditerranée de l'époque. Il contenait les copies des principaux manuscrits scientifiques du moment. C'est ici qu'Euclide vécut et il y

mourut vers 265 av. J.-C. Il fut élevé à Athènes et était déjà considéré de son vivant comme l'un des grands talents de l'époque. Son influence perdura à travers l'Histoire de telle manière que, dans les années 1930, quand un groupe de mathématiciens, sous le nom de Nicolas Bourbaki, voulut donner un nouveau souffle à la discipline, il adopta pour mot d'ordre : « À bas Euclide ! »

Détail de L'École d'Athènes *de Raphaël. L'artiste peignit Euclide avec le visage de l'architecte Bramante, tenant un compas dans la main.*

Éléments de géométrie se compose de treize livres. Du livre I au livre VI, il s'agit de la géométrie élémentaire, du livre VII au livre X, des questions numériques, et du livre XI au livre XIII, de la géométrie des solides. C'est la troisième définition du livre VI qui fut à l'origine de tout. En 1576, la traduction du cosmographe de Philippe II la présente de la manière suivante : « *Se dit divisée une ligne droite en extrême et moyenne raison quand le tout est à la partie, ce que la grande est à la petite.* »

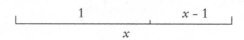

> ʒ. Dize se ser diuidida vna linea recta con razon extrema y media quando fuere que como se ha toda a la mayor parte, assi la mayor a la menor.

Traduit en langage moderne, cela donne : « Une droite est dite divisée en moyenne et extrême raison quand la longueur totale de la droite est à la grande partie ce que cette dernière est à la petite partie. » Ou alors exprimé d'une manière encore plus concise : « Le tout est à la partie ce que la partie est au tout. »

Cette extrême et moyenne raison, qui apparaît avec tant de modestie, est en réalité le nombre qu'on appellera plus tard « nombre d'or » et auquel Luca Pacioli consacrera tout un traité en 1509, lui donnant le nom de *Divine Proportion*. Le symbole *Phi* (Φ) qui représente aujourd'hui le nombre d'or, ne lui a été assigné que très récemment. C'est au début du XXᵉ siècle que le mathématicien nord-américain Mark Barr proposa de faire le lien entre le nombre d'or et Phidias, architecte du Parthénon à Athènes, en lui empruntant son initiale.

À présent, après avoir présenté le nombre d'or et précisé qu'il s'agissait d'un nombre irrationnel, nous allons explorer plus en profondeur sa nature mathématique. Nous allons calculer le nombre Φ.

$$\underbrace{\overbrace{}^{1}\;\overbrace{}^{x-1}}_{x}$$

Soit un segment, que l'on coupe en deux parties. La partition ainsi opérée sera en extrême et moyenne raison, autrement dit conforme à la divine proportion, quand $\frac{x}{1}=\frac{1}{x-1}$.

Cette équation nous amène (afin que deux fractions soient égales ou équivalentes, leur produit en croix doit l'être aussi : $\frac{a}{b}=\frac{c}{d} \Leftrightarrow a \cdot d = b \cdot c$) à l'équation du second degré :

$$x \cdot (x-1) = 1 \cdot 1 \rightarrow x^2 - x = 1$$

équivalente à
$$x^2 - x - 1 = 0. \tag{1}$$

Cette équation a deux solutions, dont une positive, qui est celle qui nous intéresse :

$$x = \frac{1+\sqrt{5}}{2} \cong 1{,}618.$$

Cette relation est celle que nous recherchions et que nous nommerons Φ :

$$\Phi = \frac{1+\sqrt{5}}{2} \cong 1{,}618.$$

Étant donné que la solution de l'équation (1) est la relation entre les longueurs des segments, cette solution le sera aussi quel que soit le segment de départ. Autrement dit : la divine proportion aura toujours la même valeur indépendamment de la longueur du segment initial.

Étant donné que dans son expression apparaît une racine carrée non exacte, le nombre F sera un nombre irrationnel. Cela veut dire que jamais nous n'aurons une écriture décimale exacte. Et plus encore : qu'il n'y aura aucun groupe parmi ses décimales qui se répétera de façon périodique. Le nombre F est donc un nombre décimal non périodique, à partir duquel il est cependant possible de connaître autant de chiffres exacts qu'on le souhaite grâce aux décimales de $\sqrt{5}$. De toutes les manières, cela ne nous apporterait pas grand-chose, étant donné que l'importance de F est davantage géométrique qu'arithmétique. En tout cas, $\Phi = 1{,}618033988749894...$, avec 15 décimales, a une précision plus que suffisante pour n'importe quel calcul que nous souhaiterions entreprendre.

Emparons-nous désormais de la calculatrice la plus proche et faisons quelques calculs très simples. Nous ne retiendrons que les cinq premières décimales de $\Phi = 1{,}61803$.

Une première division : 1/Φ. Quel est le résultat ? Les mêmes décimales, mais sans le 1. De façon approximative, il en résulte que $1/\Phi = \Phi - 1$.

LES DÉCIMALES DE Φ

Pour ceux qui aiment la précision, voici les mille premières décimales du nombre d'or :

1,6180339887498948482045868343656381177203091798057628621354486227052 6

0462818902449707207204189391137484754088075386891752126633862223536 93

179318006076672635443338908659593958290563832266131992829026788067520

876689250171169620703222104321626954862629631361443814975870122034080

588795445474924618569536486444924104432077134494704956584678850987433

9442212544877066478091588460749988712400765217057517978834166256249 40

758906970400028121042762177111777805315317141011704666599146697987317

613560060708748071013179523689427521948435305678300228785699782977834 7

84587822891109762500302696156170025046433824377648610283831268330372 4

2926752631165339247316711121158818638513316203840052221657912866752 94

6549068113171599343235973494985090409476213222981017261070596116456 29

909816290555208524790352406020172799747175342777592778625619432082750

513121815628551222480939471234145170223735805772786160086883829523045

92647878017889921990270776903895321968198615143780314997411069260886 7

42962267575605231727775203536139 36...

Élevons au carré : Φ^2. Avec le même degré d'approximation, $\Phi^2 = \Phi + 1$. Un simple hasard ? Nous allons tout de suite voir que non.

Propriétés élémentaires du nombre d'or

Pour commencer, rappelons que Φ est la solution de l'équation

$$x^2 - x - 1 = 0 \qquad (1)$$

ce qui veut dire que pour cette valeur l'égalité est respectée. De manière approximative, nous avons aussi obtenu que

$$\Phi^2 - \Phi - 1 = 0 \Rightarrow \Phi^2 = \Phi + 1. \qquad (2)$$

À partir de (2), en multipliant de chaque côté plusieurs fois par Φ, nous obtenons :

$$\Phi^3 = \Phi^2 + \Phi$$
$$\Phi^4 = \Phi^3 + \Phi^2$$
$$\Phi^5 = \Phi^4 + \Phi^3$$

$$(3)$$

....

Ce qui signifie qu'*une puissance quelconque de Φ est égale à la somme des deux puissances inférieures.* Ensuite, une fois que nous avons les valeurs de Φ et de Φ^2, si nous souhaitons obtenir le reste des puissances de Φ, nul besoin de multiplier davantage, il suffit d'en additionner deux consécutives pour obtenir la suivante.

Aussi, en utilisant les expressions (2) et (3), nous pouvons en déduire d'autres égalités pour les puissances de Φ, dans lesquelles interviennent seulement la propre valeur de Φ et des nombres entiers naturels.

$$\Phi^3 = \Phi^2 + \Phi = \Phi + 1 + \Phi = 2\Phi + 1$$
$$\Phi^4 = \Phi^3 + \Phi^2 = (2\Phi+1)+(\Phi+1) = 3\Phi + 2$$
$$\Phi^5 = \Phi^4 + \Phi^3 = (3\Phi+2)+(2\Phi+1) = 5\Phi + 3$$
$$\Phi^6 = \Phi^5 + \Phi^4 = 8\Phi + 5 \qquad (4)$$
$$\Phi^7 = \Phi^6 + \Phi^5 = 13\Phi + 8$$
$$\Phi^8 = \Phi^7 + \Phi^6 = 21\Phi + 13$$

...

Nous voyons ainsi que pour obtenir une quelconque puissance de Φ il suffit de multiplier le nombre d'or par un nombre qui est la somme des coefficients de l'équation des puissances antérieures de Φ et d'y additionner un nombre qui est le coefficient de l'équation de la puissance antérieure. Par exemple, pour Φ^6, le 8 que multiplie Φ est la somme de 5 et de 3 qui apparaissent dans l'expression de Φ^5 et le 5 est le nombre que multiplie Φ pour cette puissance.

Il est préférable de garder en mémoire les propriétés qui découlent de (3) et de (4), elles nous seront utiles par la suite lorsque nous verrons comment obtenir une valeur approximative de Φ au moyen de la suite de Fibonacci. Les égalités (3) nous disent qu'il est possible d'obtenir une suite géométrique de raison Φ en additionnant deux de ses puissances consécutives.

Calculons maintenant la valeur de $1/\Phi$ pour voir quelle était la part de hasard lorsque nous avons utilisé son expression décimale approximative. Notre point de départ sera l'expression (2) qui nous définit Φ :

NOMBRES TRANSCENDANTS ET NOMBRES ALGÉBRIQUES

On appelle « nombre algébrique » tout nombre réel qui est la solution d'une équation polynomiale à coefficients entiers. Par exemple, $\sqrt{2}$, solution de l'équation $x^2 - 2 = 0$, ou le nombre d'or, Φ, solution de $x^2 - x - 1 = 0$.

Les nombres qui ne sont solution d'aucune équation polynomiale – c'est-à-dire qui ne sont pas algébriques – sont des nombres *transcendants*. Étant donné qu'il existe une infinité d'équations polynomiales et que nombre d'entre elles ont une solution, on pourrait penser que quasiment tous les nombres sont algébriques.

Montrer qu'un nombre concret est transcendant n'est pas facile. Étant donné le nombre infini d'équations, il est impossible de toutes les vérifier. Les deux nombres transcendants les plus connus sont e et π. Le mathématicien français Charles Hermite prouva que e l'était en 1873. Alors même qu'on le savait depuis plusieurs siècles, il fallut attendre 1882 et le mathématicien allemand Ferdinand von Lindemann pour démontrer que π était un nombre transcendant.

$$\Phi^2 = \Phi + 1$$
$$\Phi^2 - \Phi = 1.$$

Divisons les deux membres de l'égalité par Φ :

$$(\Phi^2 - \Phi) / \Phi = 1 / \Phi$$
$$\Phi - 1 = 1 / \Phi.$$

Cette surprenante propriété nous ouvre un horizon de possibilités. Avec ce petit exercice, nous voyons que Φ, en dépit de sa modeste expression, est capable de nous offrir de merveilleuses découvertes. Le plus étonnant sera de voir comment il se projette dans les domaines les plus divers des mathématiques, mais aussi combien il a de répercussions au-delà des limites de sa science maternelle.

Imaginons que nous essayions de trouver la valeur de la suite infinie de racines carrées

$$A = \sqrt{1 + \sqrt{1 + \sqrt{1 + \sqrt{1 + ...}}}} \qquad (5)$$

Nous pouvons calculer les valeurs successives des différentes racines carrées et nous obtiendrons une approximation décimale de A.

$$\sqrt{1+\sqrt{1}} = 1,4142$$

$$\sqrt{1+\sqrt{1+\sqrt{1}}} = 1,5538$$

$$\sqrt{1+\sqrt{1+\sqrt{1+\sqrt{1}}}} = 1,5931$$

$$\sqrt{1+\sqrt{1+\sqrt{1+\sqrt{1+\sqrt{1}}}}} = 1,6119$$

$$\sqrt{1+\sqrt{1+\sqrt{1+\sqrt{1+\sqrt{1+\sqrt{1}}}}}} = 1,6161$$

$$\sqrt{1+\sqrt{1+\sqrt{1+\sqrt{1+\sqrt{1+\sqrt{1+\sqrt{1}}}}}}} = 1,6174$$

$$\sqrt{1+\sqrt{1+\sqrt{1+\sqrt{1+\sqrt{1+\sqrt{1+\sqrt{1+\sqrt{1}}}}}}}} = 1,6178$$

$$\sqrt{1+\sqrt{1+\sqrt{1+\sqrt{1+\sqrt{1+\sqrt{1+\sqrt{1+\sqrt{1+\sqrt{1}}}}}}}}} = 1,6180.$$

SUITES

Une suite est un ensemble infini de nombres ordonnés qui suit une loi de formation. Elle est généralement représentée par une même lettre avec des indices qui indiquent la place qu'ils occupent : $a_1, a_2, a_3, ..., a_n, ... = \{a_n\}$.

On peut citer comme exemples de suites la suite des nombres pairs : $\{2, 4, 6, 8, 10, ...\} = \{2n\}$, ou celle des carrés $\{1, 4, 9, 16, 25, ...\} = \{n^2\}$. D'autres exemples simples sont les *suites géométriques*, dans lesquelles chaque terme est égal au précédent multiplié par un nombre constant, la « raison ». Autrement dit, le quotient entre deux termes consécutifs est constant. Si d'une suite nous avons l'expression qui nous permet de calculer la valeur de chaque terme en fonction de sa place, le *terme général*, elle est ainsi définie car nous pouvons alors connaître tous ses termes.

Dans le cas d'une suite géométrique dont le premier terme serait a_1 et sa raison r, le terme général aura pour expression $a_n = a_1 \cdot r^{n-1}$.

Il est aussi possible de définir une suite selon une loi qui nous permette d'obtenir un terme en connaissant les précédents, la *loi de récurrence*. Pour travailler avec une suite, il est plus simple de connaître son terme général, mais il n'est pas toujours possible ou facile de l'avoir.

À partir de maintenant, même si nous ajoutons plus de termes, nous obtiendrons toujours un résultat autour de 1,618, pratiquement la valeur de Φ. Une fois de plus, une nouvelle expression surprenante va nous permettre d'obtenir une valeur approximative de Φ. Vérifions-la.

En élevant (5) au carré, nous obtenons

$$A^2 = 1 + \sqrt{1 + \sqrt{1 + \sqrt{1 + \sqrt{1 + \ldots}}}} = 1 + A.$$

Ainsi, $A^2 - A - 1 = 0$.

Il s'agit de la même équation qui définit Φ. Par conséquent, sa solution est une autre forme pour exprimer le nombre d'or :

$$\Phi = \sqrt{1 + \sqrt{1 + \sqrt{1 + \sqrt{1 + \ldots}}}}$$

FRACTIONS CONTINUES

Les fractions continues simples sont des expressions du type

$$a_1 + \cfrac{1}{a_2 + \cfrac{1}{a_3 + \cfrac{1}{a_4 + \ldots}}}$$

où tous les a_i qui apparaissent sont des nombres entiers. Pour simplifier la notation, il est d'usage d'indiquer $[a_1, a_2, a_3, a_4, \ldots]$, et si l'un des groupes de chiffres se répète, une barre supérieure l'indique. Par exemple, si a_1 et a_2 se répètent périodiquement, on écrira : $[\overline{a_1, a_2}]$. Pour les nombres rationnels, la fraction périodique équivalente est finie. Par exemple :

$$\frac{37}{11} = 3 + \frac{4}{11} = 3 + \cfrac{1}{\cfrac{11}{4}} = 3 + \cfrac{1}{2 + \cfrac{3}{4}} = 3 + \cfrac{1}{2 + \cfrac{1}{\cfrac{4}{3}}} = 3 + \cfrac{1}{2 + \cfrac{1}{1 + \cfrac{1}{3}}} = [3, 2, 1, 3].$$

Tout nombre irrationnel qui contient une racine carrée (quadratique) peut aussi s'exprimer sous forme de fraction continue. Et s'il est la solution d'une équation du type $x^2 - bx - 1 = 0$, alors il est une fraction continue de période b.

$$b + \cfrac{1}{b + \cfrac{1}{b + \cfrac{1}{b + \ldots}}} = [b, b, b, b, \ldots] = [\overline{b}].$$

LES NOMBRES DE MÉTAL

Nous avons vu que le nombre d'or était la racine positive d'une équation du second degré. Cette propriété permet de généraliser le concept et de définir la famille des nombres de métal. En plus de Φ, le nombre d'or, il existe les nombres d'argent, de bronze, de cuivre… avec lesquels Φ partage des similitudes géométriques (constructions) et arithmétiques (limites de suites).

Les nombres de métal se définissent de manière algébrique comme les solutions positives des équations du second degré du type

$$x^2 - px - q = 0 \quad (M),$$

où p et q sont des nombres entiers naturels qui donnent naissance aux différents composants de la famille. Pour (M), si $p = 2$ et $q = 1$, la solution positive est $1+\sqrt{2} \cong 2,414213562373095048...$ Ce résultat est appelé *nombre d'argent*.

Pour (M), si $p = 3$ y $q = 1$, la solution positive $\dfrac{3+\sqrt{13}}{2} \cong 3,30277563773199464...$ correspond au *nombre de bronze*.

Les nombres de métal se comprennent mieux s'ils sont exprimés sous forme de fractions continues. Nous savons déjà que $\Phi = \left[\overline{1}\right]$. Aussi, le nombre d'argent $= \left[\overline{2}\right]$, et le nombre de bronze $= \left[\overline{3}\right]$.

Tout au long de l'Histoire, les fractions continues ont été utilisées comme moyen courant pour obtenir des valeurs approximatives. Pour Φ, nous avons l'expression

$$\Phi = 1 + \cfrac{1}{1+\cfrac{1}{1+\cfrac{1}{1+\cfrac{1}{1+...}}}} = \left[1,1,1,1,...\right] = \left[\overline{1}\right] \qquad (6)$$

dont on peut voir qu'elle est exacte puisque nous pouvons écrire (6) sous la forme

$$\Phi = 1 + \cfrac{1}{1+\left(\cfrac{1}{1+\cfrac{1}{1+\cfrac{1}{1+...}}}\right)} = 1 + \frac{1}{\Phi} \rightarrow \Phi^2 - \Phi - 1 = 0$$

Nous avons ainsi rencontré deux nouvelles expressions de Φ, (5) et (6). De nos jours, la facilité de calcul qu'offrent les ordinateurs rend ces représentations approximatives de Φ désuètes. Néanmoins, durant la longue histoire du nombre d'or, elles ont toujours figuré parmi les plus classiques. Encore aujourd'hui, elles représentent un excellent exercice mental pour lequel une simple calculatrice de poche est nécessaire.

La suite de Fibonacci

L'histoire des mathématiques est parfois surprenante, et décidément toujours inattendue. Le vieux nombre d'or, à l'origine géométrique, s'apparenta des siècles plus tard avec des fractions issues d'une suite purement arithmétique. L'artisan de cette union fut le plus remarquable mathématicien du Moyen Âge, Leonardo Pisano, plus connu sous le nom de Fibonacci.

Fibonacci écrivit des œuvres sur la géométrie, l'algèbre et la théorie des nombres. Il en fut d'ailleurs l'un des pionniers. Mais son œuvre la plus connue concer-

LEONARDO PISANO, FIBONACCI (1170-1250)

Leonardo Pisano naquit à Pise en 1170. Son surnom renseigne sur son origine familiale : *Fibonacci* signifie tout simplement « fils de Bonacci » (*figlio di Bonacci*). Cependant, ce nom est d'origine moderne ; on ne dispose d'aucune preuve permettant d'affirmer qu'il était connu sous le patronyme Fibonacci.

Il s'initia aux mathématiques à partir de la comptabilité, car son père était un marchand italien qui avait des activités commerciales internationales. Rapidement, Leonardo montra un vif intérêt pour les mathématiques qui allait bien au-delà de leurs applications mercantiles. Ses voyages marchands en Afrique du Nord lui offrirent l'opportunité de s'initier aux mathématiques arabes aux côtés de maîtres musulmans. Il connut ainsi le système de numérotation arabo-hindou et en comprit immédiatement les énormes avantages. En Europe, il en devint le défenseur le plus zélé et tenta de le vulgariser. C'est à lui que nous devons son apparition dans notre culture.

ne le calcul. Le *Liber abaci* (*Livre de l'abaque*), publié en 1202, a un titre trompeur, voire ironique.

En effet, il s'agit justement de démontrer les avantages des chiffres arabes pour le calcul par rapport aux méthodes en vigueur dans l'Italie de l'époque, où les abacistes employaient l'abaque et la numérotation romaine. L'ouvrage de Fibonacci y mit un terme, non sans difficulté. Bien que la numérotation décimale permette une plus grande facilité de calcul, elle ne se répandit pas avec rapidité, bien au contraire. Elle eut à se confronter à plusieurs types de résistances, surtout venant de l'ordre des professionnels du calcul, qui durant des siècles fut dominé par les abacistes au détriment des algoristes, partisans du calcul à partir de la numérotation arabe.

Illustration du livre de Gregor Reisch, Margarita philosophica, *dans laquelle est représentée une querelle entre abacistes (droite) et algoristes (gauche). L'image date de 1504 et montre comment, trois siècles après Fibonacci, cette querelle n'était toujours pas résolue.*

En plus de l'usage des chiffres et des méthodes de calcul, le *Liber abaci* aborde la théorie des nombres (décomposition en facteurs premiers, critères de divisibilité…), contient des problèmes d'algèbre de premier degré, et parle bien entendu de la comptabilité marchande (la règle appelée, dans les vénérables livres d'arithmétique marchande, « la répartition des bénéfices et des pertes ») et du change des monnaies. Mais le plus célèbre de tous les problèmes posés dans le *Livre de l'abaque* est le fameux problème des lapins, dont la solution est la suite aujourd'hui connue sous le nom de Fibonacci.

Le problème est posé de la façon suivante : *combien de couples de lapins aurons-nous à la fin de l'année si nous commençons avec un couple qui engendre chaque mois un autre couple qui procrée à son tour au bout de deux mois de vie ?*

Pour le résoudre, Fibonacci, en bon marchand et financier, créa une table. Il y décomposait la croissance de sa famille de lapins et opéra un suivi du nombre de couples qu'il avait à la fin de chaque mois. La colonne finale correspond au nombre total de lapins. Un rapide coup d'œil nous permet de remarquer un étrange comportement dans la suite : chaque terme s'obtient par la somme des deux précédents.

Génération Mois	1re	2e	3e	4e	5e	6e	Total
1	1						1
2	1						1
3	1	1					2
4	1	2					3
5	1	3	1				5
6	1	4	3				8
7	1	5	6	1			13
8	1	6	10	4			21
9	1	7	15	10	1		34
10	1	8	21	20	5		55
11	1	9	28	35	15	1	89
12	1	10	36	56	35	6	144

Les nombres de la dernière colonne composent la dénommée « suite de Fibonacci », définie par la loi de récurrence

$$a_1 = 1, a_2 = 1 \; ; \; a_n = a_{n-1} + a_{n-2} (n \geq 2).$$

Voyons une première relation de cette suite avec le nombre d'or. Reprenons pour cela l'expression (4) vue précédemment, celle qui nous donnait les puissances de Φ, et que nous reproduisons de façon concise ci-dessous :

$$\Phi^3 = 2\Phi + 1$$
$$\Phi^4 = 3\Phi + 2$$
$$\Phi^5 = 5\Phi + 3$$
$$\Phi^6 = 8\Phi + 5$$
$$\Phi^7 = 13\Phi + 8$$
$$\Phi^8 = 21\Phi + 13$$

....

Si nous nous concentrons sur les coefficients des puissances successives de Φ, nous remarquons qu'il s'agit de deux termes consécutifs de la suite de Fibonacci. De telle façon que, en posant a_n le terme correspondant au rang n dans la suite de Fibonacci, nous pouvons poser comme expression générale des puissances du nombre d'or

$$\Phi^n = a_n \Phi + a_{n-1}.$$

Continuons avec d'autres relations. Reprenons notre camarade de jeux, la calculatrice, et divisons chacun des termes de la suite de Fibonacci par le précédent : a_n / a_{n-1}.

LIMITE D'UNE SUITE

Le nombre A est dit « limite de la suite $\{a_n\}$ » quand les termes de la suite tendent de plus en plus vers A. A peut prendre une valeur concrète, tout dépend du degré d'approximation voulu.

Prenons comme exemple la suite $\left\{\dfrac{1}{n}\right\}$ qui a pour limite 0

(car les fractions $1/n$ tendent vers 0 à mesure que n augmente),

ou $\left\{\dfrac{2n}{n+1}\right\}$ dont la limite est 2. Toutes les suites n'ont pas nécessairement une limite.

Au début, les résultats n'ont pas grand-chose à voir avec Φ, mais continuons tout de même. Que découvrons-nous ? Effectivement, assez rapidement la différence devient très infime. Dans le tableau suivant, on peut vérifier qu'à partir du dixième terme de la suite, la différence est inférieure à un millième.

Rang	Terme	a_n/a_{n-1}	Écart avec Φ
1	1		
2	1	1,000000000000000	− 0,618033988749895
3	2	2,000000000000000	+ 0,381966011250105
4	3	1,500000000000000	− 0,118033988749895
5	5	1,666666666666667	+ 0,048632677916772
6	8	1,600000000000000	− 0,018033988749895
7	13	1,625000000000000	+ 0,006966011250105
8	21	1,615384615384615	− 0,002649373365279
9	34	1,619047619047619	+ 0,001013630297724
10	55	1,617647058823529	− 0,000386929926365
11	89	1,618181818181818	+ 0,000147829431923
12	144	1,617977528089888	− 0,000056460660007
13	233	1,618055555555556	+ 0,000021566805661
14	377	1,618025751072961	− 0,000008237676933
15	610	1,618037135278515	+ 0,000003146528620
16	987	1,618032786885246	− 0,000001201864649
17	1,597	1,618034447821682	+ 0,000000459071787
18	2,584	1,618033813400125	− 0,00000175349770
19	4,181	1,618034055727554	+ 0,000000066977659
20	6,765	1,618033963166707	− 0,000000025583188

Cela démontre donc que pour avoir une valeur approximative de Φ, il n'est nullement besoin d'utiliser les décimales d'une quelconque racine carrée, il suffit de diviser les termes de la suite de Fibonacci.

Comme dans le cas du nombre d'or, ce que démontrent ces vérifications est sûr à partir d'un certain niveau : la limite des quotients de deux termes successifs de la suite de Fibonacci est Φ. Nous allons le voir.

Supposons que la succession des quotients des termes de la suite de Fibonacci a_{n+1} / a_n admet une limite (nous le supposons car nous allons le démontrer). Appelons L cette limite. Nous aurons donc

$$L = \lim \frac{a_{n+1}}{a_n} = \lim \frac{a_n + a_{n-1}}{a_n} = \lim(1+\frac{a_{n-1}}{a_n}) = 1 + \lim \frac{a_{n-1}}{a_n} =$$

$$1 + \lim \frac{1}{\frac{a_n}{a_{n-1}}} = 1 + \frac{1}{\lim \frac{a_n}{a_{n-1}}} = 1 + \frac{1}{L}.$$

(Rappelons-nous que $a_{n+1} = a_n + a_{n-1}$)

Ensuite :

$$L = 1 + \frac{1}{L}$$
$$L^2 = L + 1$$
$$L^2 - L - 1 = 0$$
$$L = \Phi.$$

De ce fait, si L et Φ sont solutions de la même équation, alors ils ont la même valeur. Aussi, la limite de la suite des quotients de Fibonacci est le nombre d'or.

La suite originelle de Fibonacci est celle qui commence par 1 et 1. Si à la place de ces deux termes, nous commencions avec deux autres termes quelconques et progressions ainsi dans la suite (chaque terme étant la somme des deux précédents), la limite du quotient de chaque terme avec le précédent serait aussi Φ. Une remarque : dans le raisonnement que nous venons de tenir, la seule définition de la suite retenue est que

$$a_{n+1} = a_n + a_{n-1}.$$

Relations numériques surprenantes

Comme nous venons de le voir, la suite de Fibonacci permet d'obtenir une approximation de Φ au moyen de ses quotients. Elle a cependant bien d'autres usages que la simple résolution d'un problème de lapins et elle a des relations très particulières avec d'autres illustres protagonistes des mathématiques. Voyons-en quelques-unes.

Somme des termes de la suite de Fibonacci

Si nous choisissons dix termes consécutifs quelconques de la suite et les additionnons, nous obtenons toujours un multiple de 11. C'est le cas des dix premiers, dont
la somme est :

$$1+1+2+3+5+8+13+21+34+55 = 143 = 11 \cdot 13.$$

De même pour

$$21+34+55+89+144+233+377+610+987+1.597 = 4.147 = 11 \cdot 377.$$

Mais ce n'est pas tout, car cette somme (comme nous le voyons dans les deux
cas) correspond par ailleurs exactement à 11 fois le terme qui occupe la septième
place dans la somme (13 dans le premier cas et 377 dans le second).

Nous ne sommes pas au bout de nos surprises. La somme d'un nombre n quelconque de termes de la suite depuis le premier est égale au terme qui occupe la
position $n+2$ moins une unité. Nous pouvons le vérifier dans le cas des dix premiers : la somme fait 143 et est égale au terme qui occupe la douzième position
(144) moins 1. Ou dans le cas des 17 premiers, dont la somme fait 4 180 (égale au
terme a_{19}, qui vaut 4 181 moins 1).

La formule correspondant à ce que nous venons de dire est

$$1+1+2+3+5+... \, a_n = a_{n+2} - 1.$$

Si nous sommes capables d'exploiter habilement cette propriété, nous pourrons
calculer la somme d'un nombre quelconque de termes successifs de la suite, ce qui
pourrait s'apparenter à première vue à un authentique tour de magie. Par exemple,
choisissons deux termes quelconques, 25 et 40, et utilisons la formule que nous
venons d'écrire :

$$1+1+2+3+5+... \, a_{40} = a_{42} - 1$$
$$1+1+2+3+5+... \, a_{25} = a_{27} - 1.$$

Soustrayons les deux expressions

$$a_{26}+...+a_{40} = a_{42} - a_{27}.$$

Nous connaissons maintenant l'astuce : pour additionner tous les termes consécutifs entre eux, il suffit juste de faire une simple soustraction entre termes proches.

MARIO MERZ (1925-2005)

L'artiste italien Mario Merz, un des plus grands représentants de l'*Arte povera*, utilisa de façon récurrente la suite de Fibonacci dans de nombreuses œuvres depuis les années 1970, avec des variations d'objets (néons, tables, animaux, journaux...) et de formes.

À la manière des nombres de Fibonacci qui tendent vers l'infini et qui décrivent une croissance progressive à partir de la somme des termes antérieurs, Merz utilise la fameuse suite pour symboliser le progrès social et artistique. Les changements se basent sur la somme des événements passés, qui sont partie intégrante de toute évolution future. De la même manière, l'art contemporain est la somme de l'art qui le précède ; il ne peut y avoir de création à partir du néant. « Si j'ai vu loin, c'est que j'étais monté sur des épaules de géants », écrivait Newton.

Projet de Mario Merz pour le métro de Naples qui reproduit sous forme de spirale la suite de Fibonacci.

Les triplets pythagoriciens

Bien qu'il existe une infinité de triplets pythagoriciens, il n'est pas si aisé de les trouver. De là toute l'utilité de la suite de Fibonacci qui nous fournit une méthode automatique pour le faire. C'est ce que nous allons présenter dans cette partie. Mais d'abord, essayons de mieux comprendre la relation entre Fibonacci, Pythagore et le nombre d'or.

La plus célèbre formule mathématique de l'humanité est le théorème de Pythagore : dans un triangle rectangle, le carré de la longueur du grand côté (l'hypoténuse) est égal à la somme des carrés des longueurs des deux autres côtés (les cathètes).

$$a^2 = b^2 + c^2. \tag{T}$$

D'un point de vue géométrique, étant donné que l'aire d'un carré est égale à son côté élevé au carré, le théorème de Pythagore affirme que si nous traçons des carrés dont chacun aurait pour côté un côté du triangle rectangle, l'aire du carré construit à partir de l'hypoténuse est égale à la somme des aires des deux autres.

Cette expression permet de connaître la nature d'un triangle selon ses angles, sans même les mesurer. Il suffit d'élever la longueur des trois côtés au carré et de comparer le carré du grand côté avec la somme des carrés des deux autres. Si nous obtenons une égalité, nous avons affaire à un triangle rectangle. Si la somme est plus grande, il s'agit d'un triangle obtusangle (un des angles du triangle est obtus, supérieur à 90°). Si la somme est plus petite, le triangle est acutangle (les trois angles sont inférieurs à 90°).

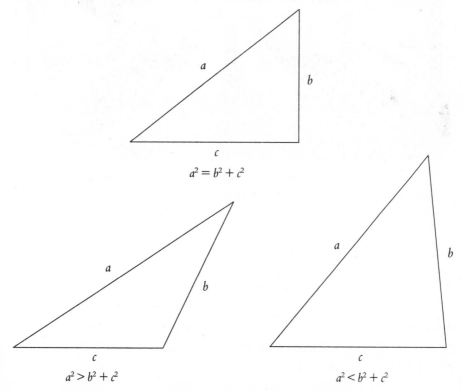

$$a^2 = b^2 + c^2$$

$$a^2 > b^2 + c^2$$

$$a^2 < b^2 + c^2$$

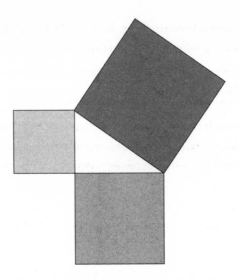

*Si nous construisons des cubes aux côtés identiques aux carrés de la figure,
la quantité de liquide que peut contenir le grand cube est exactement
celle qui est nécessaire pour remplir les deux petits.*

Quand les valeurs des côtés d'un triangle rectangle sont des nombres entiers naturels, ils forment un ensemble de trois nombres appelé « triplet pythagoricien ». Un triplet pythagoricien est donc un triplet d'entiers naturels non nuls (a,b,c) qui vérifie

$$a^2 = b^2 + c^2.$$

Nous montrerons ensuite la méthode pour trouver des triplets pythagoriciens à partir de la suite de Fibonacci. Prenons quatre termes consécutifs quelconques de la suite, par exemple, 2, 3, 5 et 8. À partir de ces quatre nombres, formons-en trois autres :

1. Le produit du premier et du dernier : $2 \cdot 8 = 16$;
2. Le double du produit des deux au centre : $2 \cdot (3 \cdot 5) = 30$;
3. La somme des carrés des deux au centre : $3^2 + 5^2 = 34$.

Nous pouvons facilement vérifier que ces trois nombres (34, 30, 16) forment un triplet pythagoricien :

$$16^2 = 256 \quad 30^2 = 900 \quad 34^2 = 1.156 \Rightarrow 256 + 900 = 1.156.$$

Voici ce que nous obtiendrons toujours, dans tous les cas, quels que soient les quatre termes consécutifs de la suite de Fibonacci que nous choisissons au début.

LE POUVOIR DIVIN DES TRIPLETS

Le triplet le plus petit et le plus célèbre est (5, 4, 3). Tout au long de l'Histoire, il fut utilisé sous forme de cordes avec des nœuds espacés de la même distance entre eux afin de tracer des angles droits, la plupart du temps pour construire des murs ou des cloisons perpendiculaires entre elles. Dans certaines illustrations de l'Égypte pharaonique, on voit des porteurs chargés de cordes nouées. Quel en était l'usage ? Avec la corde tendue au sol, ils formaient un triangle dont les côtés étaient délimités par les nœuds. Il en résultait une figure dont les côtés mesuraient 3, 4 et 5 nœuds. Étant donné que ces nombres vérifient la relation :

$$3^2 + 4^2 = 5^2$$

3, 4 et 5 forment un triplet pythagoricien et le triangle ainsi formé au sol était rectangle, avec ses deux cathètes qui mesurent 3 et 4 et l'hypoténuse 5. La corde nouée servait pour construire rapidement des triangles rectangles, c'est-à-dire des triangles en forme d'équerre, avec un angle droit. Dans l'Égypte ancienne, les cordes nouées étaient aussi utilisées pour tracer des perpendiculaires. C'est ainsi que se quadrillaient les champs sujets aux crues périodiques du Nil, que se coupaient les pierres pour la construction des murs et des monuments : en un mot, les mathématiques élémentaires appliquées à la vie quotidienne.

Relation entre les termes de la suite de Fibonacci

Si nous choisissons trois termes consécutifs quelconques de la suite de Fibonacci, multiplions le premier par le troisième et comparons le résultat avec le carré du terme central. La différence est d'une unité (plus ou moins, suivant les termes choisis). Par exemple, 3, 5 et 8. Dans ce cas, $3 \cdot 8 = 5^2 - 1$; en revanche, si nous prenons 5, 8 et 13, alors $5 \cdot 13 = 8^2 + 1$.

En général, la relation qui existe entre les termes de la suite de Fibonacci est

$$a_n^2 - a_{n-1} \cdot a_{n+1} = (-1)^{n-1}.$$

Si nous appliquons de manière géométrique cette propriété, le résultat est déconcertant. Traçons un carré de côté 8 et dessinons à l'intérieur des petits carrés de côté 1 : nous aurons donc $8^2 = 64$ petits carrés. Ensuite, découpons l'intérieur du carré en quatre parties comme indiqué sur le dessin suivant. Avec

LE THÉORÈME DE FERMAT ET LES TRIPLETS

Un autre théorème, cette fois celui de Fermat, est l'un des résultats mathématiques les plus populaires de l'histoire de cette science. Durant plus de trois cent cinquante ans, le théorème de Fermat fut l'une des plus désespérantes énigmes mathématiques, jusqu'au jour où le Britannique Andrew Wiles le démontra en 1995. Fermat a un lien direct avec Pythagore et les triplets. Le théorème de Fermat établit que, dans l'égalité $a^2 = b^2 + c^2$, si on remplace l'exposant du triplet par tout autre nombre entier naturel strictement supérieur à 2, l'équation n'admet pas de solutions entières. C'est-à-dire qu'il n'existe aucun triplet de nombres entiers naturels non nuls qui satisfasse $a^n = b^n + c^n$ avec $n > 2$.

les morceaux, faisons un jeu. Faisons comme s'il s'agissait d'un puzzle et que nous devions construire un rectangle de côtés 5 et 13, qui contiendrait $13 \cdot 5 = 65$ petits carrés. D'où provient ce petit carré supplémentaire ?

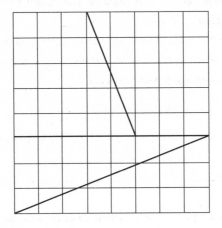

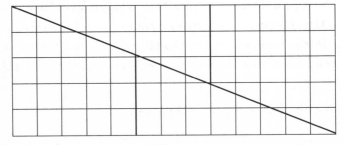

BLAISE PASCAL (1623-1662)

Blaise Pascal avait une intelligence exceptionnelle qu'il exerça dans plusieurs domaines. En 1654, il eut un grave accident dont il sortit physiquement indemne mais avec des séquelles psychiques. Il souffrit ensuite d'une crise mystique qui l'amena à se retirer de la vie civile pour se réfugier dans la religion.

Pascal était philosophe, théologien, écrivain en même temps que scientifique. Il fut à l'origine d'avancées importantes en physique, concernant notamment les concepts de pression atmosphérique et de vide, mal compris à son époque. Il est l'inventeur de la presse hydraulique et de la seringue. Il construisit aussi l'une des premières machines à calculer de l'histoire (la *Pascaline*, qui pouvait additionner et soustraire sans problème). Ses apports les plus reconnus sont d'ordre mathématique, en particulier sur le calcul des probabilités.

Pascal remarqua que les coefficients des monômes dans les puissances successives du binôme $(a + b)$ correspondaient justement aux lignes du triangle numérique qui portera son nom par la suite. Ainsi, par exemple, dans le cas de la puissance quatre :

$$(a+b)^4 = a^4 + 4a^3b + 6a^2b^2 + 4ab^3 + b^4.$$

Les coefficients du premier au dernier terme sont : 1, 4, 6, 4, 1, ce qui correspond à la cinquième ligne de son triangle.

Pour comprendre ce phénomène, il faut calculer avec précision les angles des droites qui découpent la première figure. Nous remarquons qu'ils ne sont pas tout à fait égaux. Dans la nouvelle figure, ils ne forment pas un rectangle parfait. Il existe, en effet, de minuscules espaces entre les pièces. Si on les additionne, ces espaces correspondent à la superficie du petit carré qui semble venu de nulle part.

Le terme général de la suite de Fibonacci

C'est Jacques Binet, mathématicien français, qui, en 1843, a défini par récurrence le terme général de la suite de Fibonacci. Son expression est :

$$a_n = \frac{1}{\sqrt{5}} \left[\left(\frac{1+\sqrt{5}}{2} \right)^n - \left(\frac{1-\sqrt{5}}{2} \right)^n \right] = \frac{1}{\sqrt{5}} \left[(-1)^{n+1} \Phi^n + \frac{1}{\Phi^n} \right].$$

À partir de cette formule, il est possible de démontrer que la suite des quotients entre un terme de la suite de Fibonacci et le précédent admet pour limite le nombre d'or.

Le triangle de Pascal et la suite de Fibonacci

Bien que le triangle de Pascal soit connu sous d'autres appellations hors d'Europe, il n'en reste pas moins l'une des dispositions numériques les plus célèbres. Le mathématicien français l'utilisa pour avancer dans la découverte de la formule générale de la puissance du binôme. Mais cette disposition numérique était déjà connue par des scientifiques chinois ainsi que par Omar Khayyam, mathématicien perse des XIe-XIIe siècles.

Le triangle de Pascal se décompose de la manière suivante : la première ligne est 1. Chaque ligne suivante comporte un nombre de plus que la précédente et chacun de ses éléments correspond à la somme des deux termes situés au-dessus, dans la ligne supérieure. Sa simple définition suffit à comprendre son lien avec la suite de Fibonacci, dont la définition est semblable.

```
                        1
                      1   1
                    1   2   1
                  1   3   3   1
                1   4   6   4   1
              1   5  10  10   5   1
            1   6  15  20  15   6   1
          1   7  21  35  35  21   7   1
        1   8  28  56  70  56  28   8   1
      1   9  36  84 126 126  84  36   9   1
    1  10  45 120 210 252 210 120  45  10   1
  1  11  55 165 330 462 462 330 165  55  11   1
 1 12  66 220 495 792 924 792 495 220  66 12  1
1 13 78 286 715 1287 1716 1716 1287 715 286 78 13 1
```

À partir de là, nous ne pouvons rien attendre d'autre qu'une relation numérique directe entre les deux. Il suffit en effet d'additionner en diagonale les éléments du triangle de Pascal pour obtenir la suite de Fibonacci. Le schéma suivant permet de le vérifier facilement :

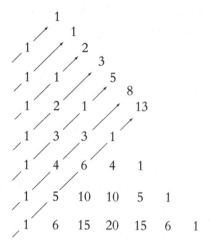

Nombres premiers dans la suite de Fibonacci

Avec une suite qui comporte autant de particularités que celle de Fibonacci, les surprises sont interminables. Par exemple, nous pouvons observer que les termes a_n de la suite de Fibonacci qui sont premiers ne peuvent occuper que les rangs n, qui sont aussi premiers, alors que la réciproque est fausse. Par exemple, le terme $n = 19$ (un rang premier) est $a_n = 4.181 = 37 \cdot 113$ (donc non premier).

Jouer avec les nombres premiers dans la suite de Fibonacci conduit à une hypothèse qui n'a pas encore été démontrée : la suite de Fibonacci contient une infinité de nombres premiers. À ce jour, personne ne sait si cette hypothèse est vraie ou fausse.

NOMBRES PREMIERS

Un nombre dont les deux seuls diviseurs sont 1 et lui-même est premier. S'il admet d'autres diviseurs différents, il est dit composé. 7, 13 et 23 sont premiers ; 6 (avec 2 et 3 comme diviseurs) et 32 (avec 2, 4, 8 et 16) sont composés. Tout nombre peut s'exprimer comme le produit de nombres premiers, d'où cette appellation.

Chapitre 2

Le rectangle d'or

Dans le chapitre précédent, nous avons vu de quelle manière était traditionnellement présentée la proportion d'or. Une droite est coupée en extrême et moyenne raison lorsque la droite entière est au plus grand segment ce que le plus grand segment est au plus petit, c'est-à-dire que le tout est à la partie ce que la partie est au reste. Voyons à présent comment il est possible de diviser un segment, de manière graphique, en extrême et moyenne raison.

Division d'un segment en extrême et moyenne raison

Soit un segment AB de longueur a. Nous souhaitons trouver le point X qui le divise en deux parties dont la proportion serait Φ. Voici la marche à suivre en trois étapes :

a) Soit un triangle rectangle dont les cathètes mesurent a et $a/2$.

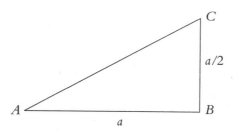

b) Traçons un arc de cercle, de centre C et de rayon CB (soit $a/2$). Il coupe AC en S.

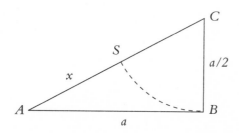

c) Traçons un second arc de cercle, de centre A et de rayon AS. Il coupe AB en X. Ce point vérifie $AX = x = AC - (a/2)$. De plus, il s'agit du point que nous cherchions. Nous pouvons vérifier qu'il permet que $AX / XB = \Phi$.

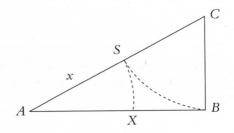

Ce processus est connu comme la Théorie de la Construction. Pourquoi nous permet-elle de construire la « section d'or » ? Le point X sera le point recherché s'il vérifie

$$\frac{AB}{AX} = \frac{AX}{XB}$$

$$\frac{a}{x} = \frac{x}{a-x}$$

$$x \cdot x = a \cdot (a-x)$$

$$x^2 = a^2 - ax$$

$$x^2 + ax = a^2$$

$$x^2 + ax + \frac{a^2}{4} = a^2 + \frac{a^2}{4}. \tag{1}$$

Dans le même temps, rappelons que l'expression du carré d'un binôme est $(s+t)^2 = s^2 + 2st + t^2$; l'expression (1) devient alors

$$\left(x + \frac{a}{2}\right)^2 = a^2 + \left(\frac{a}{2}\right)^2. \tag{2}$$

Selon le Théorème de Pythagore, on déduit de cette formule que l'hypoténuse d'un triangle rectangle dont les cathètes sont a et $a/2$ mesure $(x + a/2)$.

C'est exactement le cas pour l'hypoténuse AC, qui mesure elle aussi $(x + a/2)$. Si nous lui soustrayons la longueur $CS = CB = a/2$, nous aurons pour longueur $AS = x = AX$.

La forme des rectangles et le nombre d'or

Dans les portefeuilles et les sacs à main des citoyens modernes s'accumulent des documents et des cartes de tout type : cartes de crédit, de visite, de bibliothèque, de piscine, de salle de sport, de vidéoclub et d'assurance-maladie. Nous les sortons et les rangeons tous les jours sans prêter attention à un fait important qui ne doit rien au hasard : la majorité d'entre elles ont la même forme et la même taille, ou tout du moins le même aspect général.

Pour comprendre la raison de ce phénomène, il suffit de mesurer et de comparer la longueur des côtés de ces cartes. Le résultat du quotient entre les longueurs du grand côté et du petit est, dans la majorité des cas, très proche de 1,618 : soit le nombre Φ. Il ne s'agit pas d'un hasard si le format de la majorité des cartes examinées est le même : il s'agit d'un format standard.

Prenons le rapport entre les longueurs des côtés pour définir la forme des rectangles. Lorsque le rapport est le même pour plusieurs rectangles, nous admettrons que ces rectangles ont la même forme. En langage mathématique, nous dirons que les rectangles qui respectent cette propriété sont des rectangles semblables. Aussi, deux rectangles dont les côtés mesurent m, n et p, q (avec $m < n$ et $p > q$) seront semblables quand

$$\frac{m}{n} = \frac{p}{q}. \qquad (3)$$

Sans mesurer les côtés ni calculer le quotient, sans papier ni même un crayon, il existe une astuce efficace et très simple pour savoir si deux rectangles respectent cette propriété. Il suffit de les superposer suivant un de leurs sommets et de tracer la diagonale : si elle passe par les deux sommets des deux rectangles, les rectangles sont semblables.

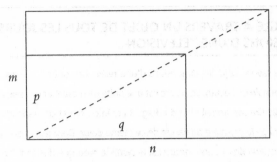

Le quotient m/n caractérise un rectangle. Aussi, nous parlerons de rectangle de moduke k quand le quotient m/n vaut k. Plus le quotient m/n est petit et plus le rectangle est grand. Le cas extrême est l'hypothèse où m/n vaut 1. Auquel cas nous sommes face à une figure particulière mais néanmoins familière : un carré. Le carré est un rectangle particulier, un rectangle de module 1. Nous voyons que, contrairement à ce que nous pensions, tous les rectangles ne sont pas similaires.

Il existe une preuve évidente de la différence entre les rectangles (de tout type, pas nécessairement des rectangles d'or) : l'évolution de la forme et de la taille des écrans de télévision et de cinéma. Le format classique des écrans de télévision était 4:3. Le nouveau standard, celui de la télévision numérique à écran plat – un franc succès – est maintenant le 16:9. Dans les deux cas, il s'agit de la relation entre les longueurs des côtés. Si nous regardons un film ou une émission sur les deux écrans en même temps, nous constatons la grande influence que peut avoir la taille de l'écran sur l'image. Dans les anciennes télévisions, les visages humains sont, par exemple, plus allongés et plus fins, alors que dans les écrans plats, ils paraissent plus petits et robustes. Pourquoi une telle différence et quelle est celle des deux images qui est dénaturée ? Un simple calcul nous montre qu'il ne s'agit pas de rectangles de la même forme. D'un point de vue mathématique, il est clair que $9/16 \neq 3/4$. Posons l'opération : $3/4 = 0{,}75$ et $9/16 = 0{,}5625$. Dans le cas de l'écran de l'ancienne télévision, il s'agit d'un rectangle de module supérieur. Du fait de leur écran plus allongé, les télévisions panoramiques dénaturent horizontalement le signal télévisuel.

L'effet inverse se produit aussi lorsqu'un film est tourné pour le grand écran, en format panoramique, et qu'il est visionné ensuite sur un écran 4:3, moins allongé. L'image est alors coupée sur les côtés pour s'adapter à l'écran. Ce ne sont alors pas seulement des morceaux d'image que l'on perd, mais aussi la magie de la scène.

LE RECTANGLE À TRAVERS UN OBJET DE TOUS LES JOURS : LES DIMENSIONS D'UNE TÉLÉVISION

Comme nous le savons déjà, les dimensions d'une télévision sont en pouces, suivant la longueur de la diagonale de l'écran. Le *pouce* est une unité de mesure anglo-saxonne, équivalente à 2,54 cm. Elle tire son appellation du doigt du même nom et correspond approximativement à la mesure de la première phalange de ce même doigt. Dans la majeure partie des pays européens, le système de mesure adopté est le système métrique décimal. Pour cette raison, dans beaucoup de pays européens, il est difficile de savoir quelles dimensions exactes aura le téléviseur nouvellement acheté. Mais si nous connaissons la taille de l'écran en pouces et la relation entre ses côtés, nous pouvons calculer ces dimensions. Cela nous évitera de mauvaises surprises et nous permettra d'être sûrs qu'il tiendra là où nous souhaitons l'installer.

L'écran d'un téléviseur de 32", au format 16:9, a une diagonale de $32 \times 2,54 = 81,28$ cm. Pour autant, ses dimensions réelles sont $9a$ et $16a$. Aussi incroyable que cela puisse paraître, c'est l'un des théorèmes les plus anciens de l'Histoire qui va nous aider à résoudre ce problème contemporain. Nous allons calculer la valeur de a grâce à Pythagore :

$$(9a)^2 + (16a)^2 = 81,28^2$$
$$81a^2 + 256a^2 = 337a^2 = 6.606,44$$
$$a^2 = 6.606,44 / 337 \cong 19,6$$
$$a = \sqrt{19,6} \cong 4,43 \text{ cm.}$$

Ainsi, les dimensions de l'écran seront $9 \times 4,43 \cong 40$ cm et $16 \times 4,43 \cong 71$ cm ; c'est-à-dire, 40×71 cm.

Le même calcul nous permet de savoir qu'une télévision de 32", au format classique 4:3, aura une dimension de 49×65 cm. Ce qui nous amène donc à une conclusion qui dépasse le seul domaine mathématique : nous ne pouvons pas si facilement remplacer notre ancienne télévision par la nouvelle ! Bien que l'écran soit de la même dimension (32"), il est possible que la nouvelle télévision ne tienne pas dans l'emplacement de l'ancienne.

Reconnaître et construire un rectangle d'or

Comme nous l'avons expliqué, un rectangle est dit « d'or » quand la relation entre ses côtés est Φ, quand il est de module Φ. À partir de maintenant, nous désignerons les rectangles d'or par leurs initiales : RO. Nous allons voir comment les construire et les reconnaître facilement.

Le mieux est peut-être de commencer par quelques propriétés des RO qui nous permettront d'aller ensuite plus loin. Comme nous l'avons vu, pour découper en deux un segment *AB* de telle manière que la longueur de la grande partie mesure Φ fois celle de la petite, il faut positionner un point *X* tel que

$$AB/AX = AX/XB.$$

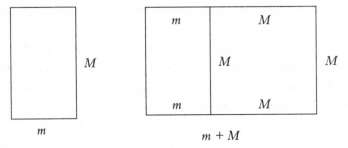

Appelons *M* la longueur *AX* et *m* la longueur *XB*. Nous aurons ainsi (étant donné que *AB* mesure *M+m*) :

$$(M + m)/M = M/m = \Phi. \qquad (4)$$

Supposons que nous ayons un RO comme celui de la figure de gauche. Si nous plaçons suivant sa longueur un carré de côté égal, nous obtenons un nouveau rectangle de côtés *M* et *(m+M)*, comme nous pouvons le voir sur la figure de droite. En accord avec la relation $(M + m)/M = M/m$, si le rectangle de départ était un RO (c'est-à-dire qu'il respectait le fait que $M/m = \Phi$), le nouveau rectangle l'est aussi, car $(M + m)/M = M/m$. De plus, grâce à cette méthode, nous pouvons obtenir des RO chaque fois plus grands.

Il en est de même si nous retirons à un RO un carré dont le côté serait égal à la largeur du RO, comme on peut le voir sur la figure ci-après. Dans les deux cas, nous obtenons un rectangle de côtés *m* et *M-m*. Dans ce cas, le nouveau rectangle est bien évidemment plus petit. Il sera néanmoins un RO s'il respecte le fait que

$$\frac{m}{M-m} = \Phi \leftrightarrow \frac{M-m}{m} = \frac{1}{\Phi}.$$

LE GNOMON

Les penseurs de la Grèce antique observèrent que certains éléments naturels voyaient leur taille augmenter mais qu'ils gardaient toujours la même forme. Ils appelèrent ce phénomène la croissance gnomique. L'inventeur et ingénieur Héron d'Alexandrie le définit de la manière suivante : *un gnomon est la chose qui, ajoutée à quelque chose d'autre, figure ou nombre, forme un tout semblable à ce à quoi il a été ajouté.*

Dans le cas du RO, son gnomon est un carré de côté égal à sa longueur.

On sait de (4) que $M/m = \Phi$, donc $\dfrac{M-m}{m} = \dfrac{M}{m} - 1 = \Phi - 1 = \dfrac{1}{\Phi}$. CQFD.

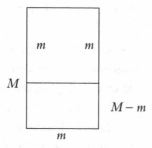

Comme dans le cas des rectangles semblables, il existe une méthode simple et rapide pour vérifier qu'un rectangle est d'or sans avoir à mesurer ses côtés ni faire de divisions. Prenons deux rectangles identiques et plaçons-les l'un à côté de l'autre, le premier horizontalement et le second verticalement, comme indiqué dans la première figure ci-dessous. Traçons la droite qui passe par les deux sommets A et B, comme l'indique la seconde figure. Si la droite passe exactement par le sommet C, nous avons affaire à deux RO.

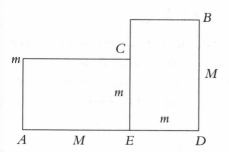
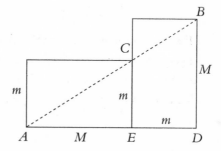

Comment peut-on expliquer ce fait ? Rappelons-nous le théorème de Thalès : si deux parallèles coupent deux côtés d'un triangle, elles produisent des segments proportionnels. Dans la seconde figure, nous voyons que AB passera toujours par C si

$$AD/DB = AE/EC.$$

Cependant, si nous remplaçons les côtés par leurs valeurs, nous obtenons : $(M + m)/M = M/m$.

Nous retrouvons ainsi l'égalité (4) qui définit Φ.

Si nous avons à portée de main un compas d'or (pour savoir comment le construire, *cf.* l'encadré de la page suivante), il suffit de placer l'une des extrémités du

---

LA CONSTRUCTION D'UN COMPAS D'OR

Le compas d'or est un outil très simple, très facile à construire et qui permet de tracer des segments selon la proportion d'or ou de vérifier que deux segments la respectent. Il existe plusieurs méthodes pour construire un compas d'or. La plus simple consiste à découper deux bandes de carton, de plastique ou de bois fin, puis à les tailler en pointe des deux côtés.

Elles doivent mesurer 34 cm de long et 2 cm de large. On fait un petit trou dans chaque bande, à 13 cm de l'une des extrémités. On fixe les bandes l'une à l'autre par le trou de façon à ce qu'elles puissent s'articuler. En les écartant, on obtient deux triangles isocèles, dont les côtés égaux mesurent 21 et 13 cm. On remarque qu'il s'agit de deux termes consécutifs de la suite de Fibonacci : leur quotient est donc proche de Φ. La relation entre les distances mesurées par les deux extrémités du compas sera aussi Φ.

L'utilisation du compas est aussi très simple. Pour savoir si deux segments respectent la 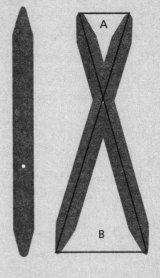 proportion d'or, il suffit de relever la mesure du petit segment avec le compas. Si l'ouverture opposée du compas coïncide avec le grand segment, les deux segments respectent la proportion d'or entre eux.

compas sur l'un des côtés du rectangle et de vérifier si l'ouverture de l'autre extrémité coïncide avec l'autre côté. Le cas échéant, il s'agira alors d'un RO.

Construction d'un rectangle d'or

Grâce à nos dernières découvertes, notre voyage va devenir bien plus facile à partir de maintenant. Pour construire un RO, nous n'avons plus qu'à faire usage de toutes les propriétés que nous avons vues jusqu'à présent.

Soit un carré *ABCD* dont le côté sera la largeur du RO que nous allons construire. Soit *M* le milieu du côté *AB*. Traçons un arc de cercle de centre *M* et de rayon *MC*.

La seconde méthode de construction d'un compas d'or est certes plus sophistiquée mais plus complète dans les mesures. Elle permet d'obtenir l'extrême comme la moyenne raison. Quatre bandes plus fines, de 1 cm de large, sont nécessaires. Deux d'entre elles doivent mesurer 34 cm de long, une autre 21 cm et la dernière 13 cm, comme l'indique la première figure. Il faut ensuite les assembler à l'image de la seconde figure.

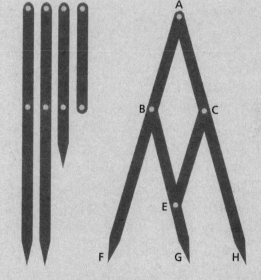

Avec cette méthode de construction, nous aurons :

$AF = AH = 34$ cm
$BG = 21$ cm
$AB = AC = BE = CE = 13$ cm
$EG = 8$ cm.

Rappelons-nous que toutes ces distances sont en réalité des termes de la suite de Fibonacci. Quand nous ouvrons le compas, la relation entre les distances *FG* et *GH* est, elle aussi, très proche de Φ. Si nous plaçons les pointes *F* et *H* du compas sur un segment quelconque (de 68 cm de longueur au maximum), la pointe *G* marque un point qui divise le segment en deux parties *M* et *m*, tel que *M/m* = Φ.

Il coupe la droite AB en E. La distance AE est la longueur du côté du RO que nous cherchons. À partir du point E, il suffit maintenant de tracer la perpendiculaire à AB. Elle coupe la droite DC en F. Nous obtenons ainsi notre cher rectangle d'or, le rectangle $AEFD$.

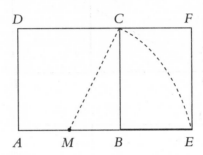

Profitons du fait que nous avons construit un RO pour vérifier la proportion d'or, en calculant ses côtés. Supposons que $AB = AD = 1$. Nous obtenons alors $AE = AM + ME = 1/2 + ME$. Comme ME est égal à l'hypoténuse du triangle rectangle MBC, nous pouvons appliquer le théorème de Pythagore. Nous avons alors

$$ME^2 = MC^2 = MB^2 + BC^2 = (1/2)^2 + 1^2 = 1/4 + 1 = 5/4.$$

D'où

$$ME = \sqrt{\tfrac{5}{4}} = \tfrac{\sqrt{5}}{2}.$$

Mais aussi

$$AE = \frac{1}{2} + \frac{\sqrt{5}}{2} = \frac{1+\sqrt{5}}{2} = \Phi.$$

C'est-à-dire que les côtés du rectangle $AEFD$ que nous venons de construire mesurent 1 et Φ. Il s'agit donc bien d'un RO comme nous le voulions.

Propriétés du rectangle d'or

Si nous retirons un carré au RO que nous venons de construire, nous obtenons un rectangle $BEFC$, lui aussi un RO. Si nous traçons les diagonales de ces deux RO, nous constatons qu'elles se coupent toujours en formant un angle droit. C'est le cas pour les diagonales AF et CE, ainsi que pour DE et BF.

Nous pouvons le constater sur les figures suivantes :

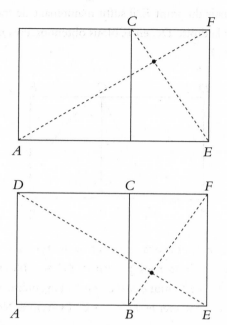

Attardons-nous sur le RO de la seconde figure. Nous allons y découvrir une propriété très surprenante. Si nous cherchons d'autres RO chaque fois plus petits en retirant successivement des carrés, et si nous traçons à chaque fois les deux diagonales qui apparaissent sur la figure, nous constatons qu'elles se situent toutes sur les deux droites *DE* et *BF.* Elles seront par ailleurs toujours perpendiculaires et leur point d'intersection sera toujours le même point O.

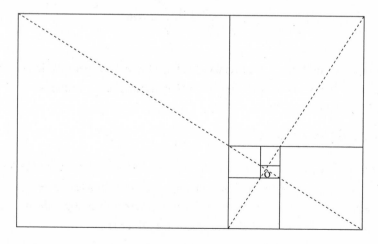

Si nous avions la possibilité d'observer avec un microscope tous les rectangles ainsi formés par la soustraction d'un carré, nous verrions que le point d'intersection des diagonales est toujours le même bien que la taille des rectangles se réduise selon le facteur Φ. Cette incroyable propriété ne concerne que les RO.

Le point O est comme l'œil d'un cyclone, une sorte de trou noir, un point d'attraction infinie vers lequel convergent les innombrables RO que nous pouvons imaginer.

POLYGONE RÉGULIER ET POLYGONE INSCRIT

Un polygone est dit régulier lorsque ses côtés ont la même longueur et ses angles internes la même mesure. Il faut que ces deux conditions soient remplies. Prenons l'exemple d'un losange. Ses côtés ont la même longueur, mais ses angles n'ont pas la même mesure : il n'est donc pas régulier. Un polygone régulier à quatre côtés est un carré. À l'inverse, les quatre angles d'un rectangle sont égaux (90°) mais ses côtés n'ont pas la même longueur : il n'est donc pas régulier.

Un polygone inscrit dans un cercle est un polygone dont les sommets sont des points du cercle. Dans le cas d'un polygone régulier à n côtés, si l'on joint le centre du cercle avec deux sommets consécutifs du polygone, on obtient un triangle isocèle dont les côtés égaux sont deux rayons. Le troisième côté est celui du polygone et l'angle formé par les deux rayons mesure $(360/n)°$.

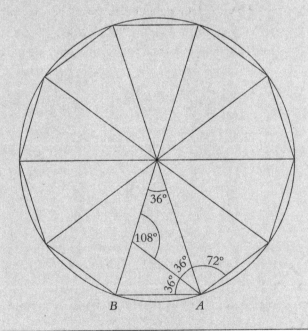

Du fait des propriétés extraordinaires de ces rectangles, d'aucuns proposèrent d'appeler ce point « l'œil de Dieu ».

Si nous inscrivons dans un cercle un décagone régulier (un polygone à dix côtés), la relation entre le rayon du cercle et le côté du polygone est exactement Φ.

Nous pourrions aussi définir un RO comme un rectangle qui a pour côtés le rayon du cercle et le côté du décagone régulier inscrit dans ce dernier. Nous expliquerons plus en détail les raisons de ce phénomène dans le troisième chapitre.

Autres rectangles remarquables

Comme nous l'avons vu dans l'encadré de la page 51, les rectangles des écrans de télévision (4:3 et 16:9) sont remarquables, ne serait-ce que par leur présence dans notre vie quotidienne. Nous allons évoquer brièvement d'autres rectangles que nous rencontrons tous les jours et les comparer avec les RO. Cela nous permettra d'apprécier encore davantage la singularité des rectangles de module Φ.

Rectangles $\sqrt{2}$

Soit un carré $ABCD$ de côté 1. Traçons un arc de cercle, de centre A et de rayon AC. Il coupe la droite AB en E. La longueur AE, qui est la diagonale d'un carré de côté 1, mesure $\sqrt{2}$. Ainsi, on obtient un rectangle dont les dimensions sont 1 et $\sqrt{2}$. À partir de maintenant, nous nommerons ce type de rectangle RR.

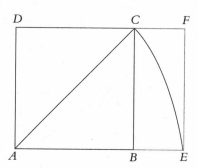

La propriété caractéristique des RR est que si nous divisons leur longueur en deux, nous obtenons un autre RR dont l'aire représente la moitié de celle du rectangle initial. Les côtés du nouveau rectangle seront 1 et $\sqrt{2}/2$, dont le quotient est à nouveau $\sqrt{2}$.

En effet $\dfrac{1}{\sqrt{2}/2}=\dfrac{2}{\sqrt{2}}=\sqrt{2}$. Par ailleurs, le gnomon du RR est le même.

On peut réitérer ce processus autant de fois que l'on veut pour obtenir d'autres rectangles RR. Il en est de même avec la largeur d'un RR : on obtient un autre RR. La figure ci-dessous montre le résultat quand on répète l'opération plusieurs fois.

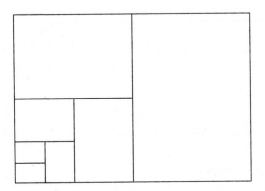

Cette propriété des RR s'applique au design des feuilles de papier que nous utilisons tous les jours, dont le format est le format DIN. Les lettres DIN sont les initiales de Deutsches Institut für Normung, l'Institut allemand de normalisation, qui présenta le format en 1922, à partir des travaux de l'ingénieur Walter Porstmann.

Les différents formats découlent d'une sous-division du format principal, A0, dont l'aire est de 1 m². Les sous-divisions sont ensuite numérotées de façon croissante (A1, A2, A3, A4…), toujours avec le format RR. La proportion se maintient en coupant simplement chaque unité en deux. La simplicité et la souplesse de ce format lui permirent de devenir une norme internationale, utilisée dans la plupart des pays.

En termes de polygones inscrits, le rectangle RR est celui qui a pour côtés le rayon du cercle et le côté du carré régulier inscrit dans ce même cercle. Dans l'histoire de l'architecture, le rectangle RR fut souvent utilisé comme base pour les constructions.

Le rectangle d'argent $1 + \sqrt{2}$

Le rectangle d'argent s'obtient en ajoutant au RR un carré de côté 1. C'est un rectangle de module $(1+\sqrt{2})$ qui, comme nous l'avons vu dans le chapitre précédent, est la solution de l'équation $x^2 - 2x - 1 = 0$. Il se nomme « nombre d'argent ». Le rectangle que nous obtenons avec cette méthode est plus allongé que le précédent, ce qui donne un aspect élégant aux constructions dans lesquelles il est utilisé, comme les vestibules des temples ou les étages de certains immeubles.

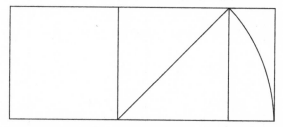

Le rectangle de Cordoue

L'étude des proportions des principaux monuments musulmans de Cordoue, parmi lesquels la fameuse mosquée, avec son mihrab octogonal, permit à l'architecte espagnol Rafael de La Hoz (1924-2000) de trouver le rectangle qui explique leur structure. Ainsi, de La Hoz nota que les proportions qu'il avait relevées étaient celles d'un rectangle dont les côtés sont le rayon d'un cercle et le côté de l'octogone régulier inscrit dans celui-ci. Le résultat est le rectangle de Cordoue, d'aspect moins allongé que le RO.

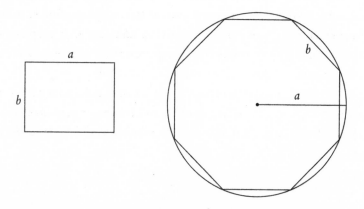

Pour calculer le module de ce rectangle, il faut exprimer le côté L de l'octogone régulier inscrit dans le cercle en fonction de son rayon R. On obtient alors :

$$\frac{R}{L} = \frac{1}{\sqrt{2-\sqrt{2}}} \cong 1.307.$$

Il s'agit ici de la proportion cordouane ou numéro cordouan.

Les spirales et le nombre d'or

Certaines des manifestations les plus incroyables de Φ se rencontrent dans les spirales, dans lesquelles Φ adopte des comportements fort curieux. Supposons que nous partions d'un RO et que nous lui retirions des carrés pour obtenir de nouveaux RO, en suivant le processus que nous connaissons déjà.

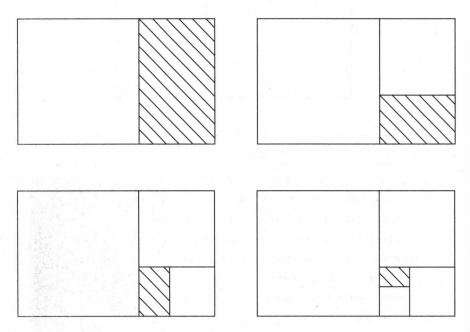

Dans chacun des carrés que nous retirons, traçons un quart de cercle, ayant pour rayon le côté du carré et pour centre l'un de ses sommets : c'est-à-dire, les points 1, 2, 3, 4, 5…

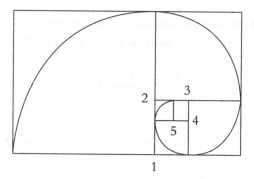

Si nous répétons le processus plusieurs fois, nous obtenons ce que l'on appelle « la spirale logarithmique ».

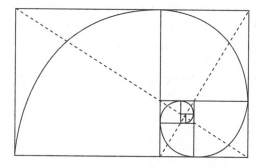

LA SPIRALE ET JACQUES BERNOULLI

La courbe de cette spirale et ses propriétés ont fait l'admiration de grandes figures du monde des mathématiques. Le célèbre Jacques Bernoulli (1654-1705) a été particulièrement attiré par les spirales, auxquelles il consacra plusieurs années d'études. Cette attirance était telle qu'il alla jusqu'à demander que l'on grave une spirale sur sa tombe avec la devise « *Eadem mutato resurgo* », qui signifie « Je ressuscite identique à moi-même ». Cependant, malgré les rigoureuses exigences du mathématicien, la petite histoire raconte que le graveur de la pierre tombale ne sculpta pas une spirale logarithmique mais une autre série d'arcs, aux-

quels la devise ne pouvait plus s'appliquer. Jacques Bernoulli a dû se retourner dans sa tombe !

La spirale est une courbe dont la forme ne se modifie pas quand sa taille change, aussi bien quand elle augmente que quand elle diminue. Cette propriété s'appelle l'autosimilarité.

L'autre propriété d'une spirale est qu'elle est équiangulaire, c'est-à-dire que si nous traçons une ligne droite depuis son centre, c'est-à-dire son point de départ, jusqu'à un point quelconque, l'angle de coupe sera toujours le même. Selon cette propriété, si nous souhaitons maintenir constant l'angle sous lequel nous observons un point, nous devons nous en approcher suivant une trajectoire qui décrit une spirale logarithmique. Cette spirale se nomme aussi spirale géométrique. En effet, le rayon vecteur, c'est-à-dire la droite qui joint le sommet avec un point de la spirale, croît selon une progression géométrique, alors que l'angle formé par ce rayon croît quant à lui selon une progression arithmétique.

La courbe que nous venons de créer avec cette méthode n'est pas une spirale au sens strict, car elle est formée de plusieurs arcs de cercle (quarts de cercle) unis de façon artificielle, mais elle constitue une bonne approximation d'une spirale logarithmique. La spirale n'est pas tangente aux arcs de cercle, elle les coupe suivant des angles infimes. La véritable spirale logarithmique est la figure suivante :

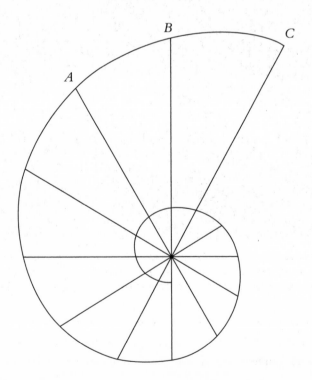

Si nous suivons la même croissance en prenant en compte une variation simi-laire en hauteur, nous obtenons une spirale tridimensionnelle :

Les propriétés des spirales n'ont pas seulement attiré les scientifiques, mais aussi de nombreux artistes.

Le Néerlandais Maurits Cornelis Escher (1898-1972), connu pour ses figures impossibles, mosaïques et mondes imaginaires, s'inspira explicitement des mathématiques. Il utilisa à maintes reprises la spirale, comme en témoigne sa gravure Spirales *en 1953.*

Nous n'avons pas encore épuisé les paysages de spirales ; en réalité, nous venons à peine de commencer. Nous verrons plus loin comment elles apparaissent dans les triangles d'or et combien leur magnifique présence est récurrente dans la nature.

Chapitre 3

Le nombre d'or
et le pentagone

Les Assyriens découvrirent de manière naturelle le pentagone ; il apparaît dans leurs tables d'argile, où nous pouvons voir les marques des cinq doigts en argile blanc. Cette figure représenta un problème pour les Grecs. Pour eux, la seule méthode valable pour tracer des figures géométriques était d'utiliser la règle et le compas, mais avec ces seuls outils, il leur était impossible de construire un pentagone régulier.

Le pentagone régulier

La construction à la règle et au compas, telle qu'elle fut conçue dans la Grèce antique, est une méthode qui comporte de nombreuses restrictions, dont certaines sont quelque peu rébarbatives. Elle consiste à tracer des points, des droites (ou segments) ou des cercles (ou arcs) avec une règle de longueur quelconque, sans marques qui permettent de mesurer ou de transposer des distances, donc un simple support sans graduations, et un compas. Avec cette méthode, il est possible de tracer la médiatrice d'un segment (perpendiculaire en son milieu), la bissectrice d'un angle, le symétrique d'un point par rapport à un autre, la droite parallèle ou perpendiculaire à une autre passant par un point donné, la projection d'un point sur une droite, ou encore de diviser un segment quelconque en autant de parties égales.

Il existe une série de problèmes classiques célèbres, dont la renommée vient du fait qu'il est précisément impossible de les résoudre avec une règle et un compas. Par exemple, la quadrature du cercle (construire un carré de même aire qu'un cercle donné), la duplication du cube (construire un cube dont le volume est deux fois plus grand qu'un cube donné) ou encore la trisection de l'angle (diviser un angle en trois parties égales). Avec la méthode de la règle et du compas, il est également impossible de construire certains polygones réguliers, comme l'heptagone ou le pentagone.

Cependant, il est possible de tracer indirectement un pentagone régulier avec une règle et un compas avec l'aide de Φ. C'est ainsi que le nombre Φ fit son apparition dans la Grèce antique.

C. F. GAUSS (1777-1855)

Le mathématicien allemand Carl Friedrich Gauss, baptisé « prince des mathématiques », est l'une des grandes figures de cette science. Bien qu'il se soit intéressé à d'autres disciplines, il choisit de se consacrer aux mathématiques notamment après avoir démontré qu'il était possible de construire un heptadécagone régulier, polygone à 17 côtés, avec une règle et un compas. Il s'agissait d'une immense découverte, non seulement pour sa carrière, mais aussi pour le développement futur des mathématiques. Il démontra ce résultat alors qu'il avait à peine 19 ans.

C'est aussi l'une des raisons pour lesquelles les classiques commencèrent à s'intéresser à cette proportion.

Considérons à présent un pentagone régulier dans lequel sont tracées les diagonales.

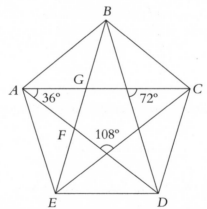

Considérons le triangle *BED*, l'un des trois types de triangles isocèles qui apparaissent sur la figure. Ses côtés égaux *BE = BD* sont la mesure *e* de la diagonale du pentagone (qui équivaut au côté de l'étoile pentagonale). Par ailleurs, le côté *ED* est le côté *p* du pentagone, que nous définirons comme unité : $p = 1$. Nous pouvons vérifier que nous avons la relation $EB/ED = e/p = e/1 = \Phi$. Il s'agit de la relation d'or. C'est-à-dire que $e = \Phi$.

UN PENTAGONE RÉGULIER AVEC UNE BANDE DE PAPIER

Malgré toutes ces difficultés, il existe une méthode très simple (comprenant certes quelques imprécisions) pour construire un pentagone régulier. Il suffit de prendre une bande de papier et de faire un nœud. Ce qui reste délimite un pentagone régulier. Nous pouvons le voir sur le schéma de la bande de papier. Nous avons le pentagone régulier *ABCDE*, dont le côté est la largueur de la bande initiale.

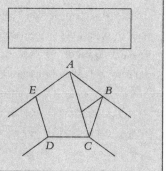

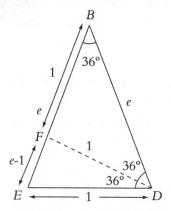

En traçant la bissectrice de l'angle *D*, on obtient le triangle *DEF*. Il possède les mêmes angles que *BED* et ils sont d'ailleurs tous les deux semblables. Nous avons alors

$$EB / ED = ED / EF. \qquad (1)$$

Comme $ED = FD = FB = 1$ et $EF = EB - 1$, en remplaçant dans (1) on obtient

$$\frac{EB}{1} = \frac{1}{EB - 1}$$
$$EB^2 - EB = 1$$
$$EB^2 - EB - 1 = 0$$
$$EB = \frac{1 + \sqrt{5}}{2} = \Phi.$$

LE THÉORÈME DE MORLEY

Comme les Grecs n'arrivaient pas à réaliser la trisection de l'angle, ils ne lui consacrèrent que peu d'attention. Il leur manquait un théorème aussi simple et élégant que celui de Morley : les intersections des trisectrices des angles d'un triangle forment un triangle équilatéral, et ce quel que soit le type de triangle de départ.

Contrairement à la majorité des résultats concernant les triangles, déjà connus à l'époque des Grecs et vieux de près de vingt siècles, ce théorème n'a qu'un peu plus de cent ans. Il fut découvert en 1904 par Frank Morley (1860-1937) et ne fut publié que vingt années plus tard.

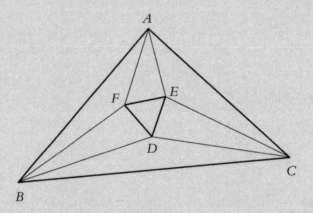

Le triangle équilatéral FED est un triangle Morley.

Nous pouvons ainsi démontrer ce que nous voulions : la relation entre la diagonale et le côté d'un pentagone régulier est Φ.

Mais d'autres relations apparaissent à l'intérieur même du pentagone étoilé. Si nous considérons le pentagone et les triangles qui apparaissent avec ses diagonales, nous constatons qu'on ne trouve que trois angles distincts : 36°, 72° et 108°. Par ailleurs, comme 72 est le double de 36, et 108 le triple de 36, ils sont tous multiples de 36°.

De nombreux triangles isocèles apparaissent, mais seulement de trois types différents : les triangles ABE, ABG et AFG. Les autres sont semblables à l'un de ces trois et il y a seulement quatre longueurs différentes parmi leurs segments. Nous les appellerons $BE=a$, $AB=AE=b$, $AG=BG=AF=b$ et $GF=d$, avec $a > b > c > d$.

Dans chacun de ces triangles, appliquons le théorème du sinus, qui établit que dans un triangle quelconque, le quotient entre la longueur d'un côté et le sinus de son angle opposé est constant. Dans le triangle ABE :

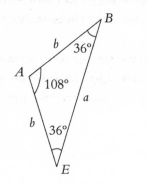

$$\frac{a}{\sin 108°} = \frac{b}{\sin 36°} \Rightarrow \frac{a}{b} = \frac{\sin 108°}{\sin 36°}$$

Dans le triangle ABG :

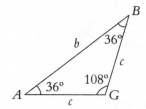

$$\frac{b}{\sin 108°} = \frac{c}{\sin 36°} \Rightarrow \frac{b}{c} = \frac{\sin 108°}{\sin 36°}$$

Et enfin, dans le triangle AFG :

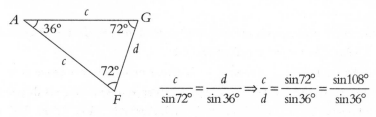

$$\frac{c}{\sin 72°} = \frac{d}{\sin 36°} \Rightarrow \frac{c}{d} = \frac{\sin 72°}{\sin 36°} = \frac{\sin 108°}{\sin 36°}$$

Comme $72° = 180° - 108°$, et que les sinus de deux angles supplémentaires sont égaux, on aura : $\sin 72° = \sin 108°$.

Par ailleurs, nous pouvons établir les égalités suivantes :

$$\frac{a}{b} = \frac{b}{c} = \frac{c}{d} = \frac{\sin 108°}{\sin 36°} = 1{,}618033988...$$

La trigonométrie nous a aidés à déduire que si l'on ordonne les longueurs des quatre segments du plus grand au plus petit, la raison entre chacune d'entre elles et la suivante est constante et égale au nombre d'or.

Nous pouvons obtenir cette relation d'une autre manière, à partir de la première de ces égalités, compte tenu du fait que $c = a - b$, et en prenant comme unité le côté du pentagone, c'est-à-dire : $b = 1$.

$$\frac{a}{b} = \frac{b}{c} \rightarrow \frac{a}{b} = \frac{b}{a-b} \rightarrow \frac{a}{1} = \frac{1}{a-1} \rightarrow a^2 - a - 1 = 0 \rightarrow a = \frac{1+\sqrt{5}}{2}$$

$$a = \Phi.$$

Comme nous le constatons, deux de ces segments consécutifs vérifient la proportion d'or.

Le triangle d'or

Nous venons de voir que le pentagone et ses diagonales forment deux types de triangles isocèles. Le premier a pour angles 36°, 36° et 108°, alors que ceux du second mesurent 36°, 72° et 72°. Dans les deux cas, la relation entre le grand côté et le petit est égale à Φ. Pour cette raison, on les nomme triangles d'or (quant à nous, nous les appellerons à partir de maintenant TO). Dans certaines occasions, chacun d'eux porte un nom différent : on appelle triangle d'or celui de 36°, 72° et 72°, alors que celui de 36°, 36° et 108° se nomme gnomon d'or. Nous ne tiendrons pas compte de cette distinction.

En traçant les diagonales d'un pentagone régulier, nous voyons donc apparaître en son centre un autre pentagone régulier, entouré de TO. De même, les sommets de l'étoile sont aussi des TO.

Par l'intermédiaire d'un TO, il est possible de construire un pentagone régulier avec une règle et un compas. Le point de départ est un segment de longueur 1, à partir duquel on construit sa raison d'or (comme nous l'avons vu dans le chapitre précédent), de longueur x. Ensuite, on construit un TO de côtés x et 1. On trace un cercle de rayon 1 qui a pour centre le sommet dont l'angle mesure 36° (opposé au côté de longueur x). Le côté du décagone inscrit dans le cercle est x. Une fois construit le décagone, il faut prendre un sommet sur deux et tracer une ligne entre eux sans passer par le sommet qui les sépare. Nous aurons ainsi construit un pentagone régulier à partir d'un TO.

La même méthode servira pour construire des polygones réguliers de 10 côtés. C'est ce que faisaient les géomètres grecs de l'Antiquité, en admiration devant les possibilités mathématiques de la proportion d'or.

Selon la construction que nous venons de voir, un RO a pour dimensions le côté du décagone régulier inscrit dans un cercle et le rayon de ce dernier.

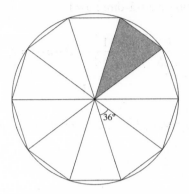

Nous avons vu, dans un chapitre précédent, qu'il était possible d'obtenir une spirale logarithmique à partir d'un RO, mais aussi à partir d'un TO *ABC* dont les angles mesurent 36°, 72° et 72° (dans lequel $AB / BC = \Phi$). Si nous traçons la bissectrice de l'angle *B*, nous obtenons alors deux triangles : *DAB* et *BCD*. Les angles du premier mesurent 36°, 36° et 108°, il s'agit donc d'un triangle d'or.

Le second, *BCD*, est semblable au triangle d'origine, il est donc aussi un triangle d'or. Si nous continuons ainsi selon le même processus, avec la bissectrice de l'angle *C*, nous obtenons un autre triangle *CDE*, qui à son tour est semblable aux deux précédents.

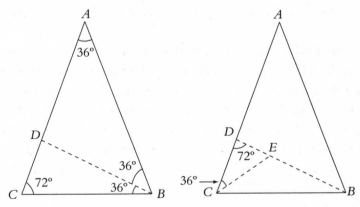

C'est le moment de nous rappeler comment nous obtenions des RO plus petits à l'intérieur d'un premier RO, en retirant des carrés. Dans les cas des TO, si nous continuons à tracer les bissectrices, nous obtiendrons des TO plus petits à l'intérieur du premier. Le processus équivaut à retrancher à chaque fois un gnomon d'or. Ainsi, nous obtenons une suite de TO, sous la forme d'une spirale de triangles qui convergent à l'infini vers un point d'attraction similaire à « l'œil de Dieu » des RO.

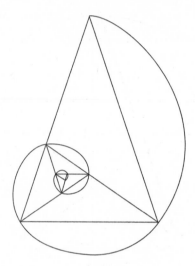

La symbolique de l'étoile pentagonale

Il ne serait pas insensé de se demander pour quelle raison les étoiles que l'humanité a observées depuis toujours dans le firmament sont représentées sous la forme de pentagones étoilés. Peut-être est-ce à cause du scintillement que nous percevons, provoqué par la variation de densité de l'air et les phénomènes atmosphériques ? En tout cas, peu de choses ont changé à cet égard depuis l'époque où nos ancêtres commencèrent à scruter les cieux avec l'intention de déchiffrer leurs messages occultes. La représentation des étoiles sous forme de pentagones étoilés est très ancienne : on en trouve dans les tables de Mésopotamie comme dans les hiéroglyphes égyptiens.

Le symbole de l'étoile à cinq branches, appelée pentalpha, fut l'insigne des pythagoriciens et servait à identifier les membres de leur organisation secrète. Pour eux, le cinq était le chiffre de l'harmonie, de la santé et de la beauté. Il supposait une combinaison équilibrée entre le deux, le premier nombre pair, ou dyade, et le trois, premier nombre impair, la triade.

Comme l'écrivait l'écrivain et professeur d'esthétique roumain Matila Ghyka, « le pentalpha ou pentagramme sera à la fois le symbole de l'Amour créateur et de la Beauté vive, de l'équilibre nécessaire à la santé du corps humain » – et nous pourrions ajouter, par extension, le symbole même de l'être humain.

Le pentalpha a une longue histoire comme symbole des sociétés secrètes. Il fut par exemple le symbole de l'ordre de la Rose-Croix et apparaît souvent dans ceux des loges maçonniques.

Pentalpha, une figure géométrique qui a une longue histoire comme symbole des sociétés secrètes. Elle figure par exemple dans celui de l'ordre de la Rose-Croix et bien souvent dans ceux des loges maçonniques.

L'étoile pentagonale est l'une des figures les plus couramment utilisées dans notre environnement comme symbole graphique, un symbole qui recouvre les significations les plus diverses. C'est le symbole des stars d'Hollywood sur le *Walk of Fame* à Los Angeles mais aussi le symbole de nombreux partis révolutionnaires. Ses cinq sommets représentent l'internationalisme, chacun correspondant à un continent. Associée à la couleur rouge, elle symbolise la souffrance des opprimés dans leur lutte pour l'émancipation et le sang versé pour l'obtenir.

Mais son pouvoir symbolique lui confère une place de choix sur de nombreux drapeaux nationaux, et pas seulement ceux qui professent une idéologie révolutionnaire. Elle apparaît sur les drapeaux de certains pays musulmans, comme le Maroc, et représente les cinq piliers de l'Islam. Les étoiles qui représentent chacune un État sur le drapeau des États-Unis d'Amérique sont aussi pentagonales.

MATILA GHYKA (1881-1965)

Le prince Matila Ghyka fut un écrivain et diplomate roumain qui termina sa carrière comme professeur d'esthétique aux États-Unis. Il fut l'un des spécialistes contemporains de la proportion d'or, dont il traita dans des ouvrages désormais classiques, comme *Esthétique des proportions dans la nature et dans les arts* (1927) et *Le Nombre d'or* (1931), qui remit la question à l'ordre du jour dans la culture européenne. Dans ses ouvrages, il présenta une thèse bien connue de nos jours : les artistes grecs de l'Antiquité classique utilisaient la proportion d'or de manière consciente et délibérée. Bien qu'elle soit très populaire, cette hypothèse est toujours sujette à débat et n'est pas unanimement admise.

Les livres de Ghyka sont conçus comme des sommes qui proposent une synthèse des connaissances classiques, avec une attention particulière portée au platonisme et à l'idée selon laquelle les nombres « existent » bien au-delà des relations abstraites qu'ils expriment. Ils eurent un grand succès dans le monde entier mais ne furent pas épargnés par la polémique. L'un des plus fervents défenseurs de Ghyka fut le poète Paul Valéry.

Mosaïques périodiques et non périodiques

Lors de nos éprouvants déplacements de citoyens contemporains, nous n'avons guère le temps de regarder les nuages ou les oiseaux dans les arbres. Il en est de même pour le sol que nous foulons. Pour cette raison, nous ne percevons pas la géométrie sur laquelle nous marchons (sans compter les fois où nous y trébuchons). Nous allons à présent nous attarder sur la forme que peuvent prendre les dalles et les briques de notre entourage. Nous pourrons ainsi mieux étudier leurs combinaisons ordonnées : les mosaïques.

Nous savons tous ce qu'est une mosaïque. Étant donné l'étude mathématique que nous allons en faire par la suite, il serait cependant préférable de nous accorder sur une définition précise. Nous appellerons donc mosaïque le revêtement d'une surface plane réalisé au moyen de petites pièces nommées tesselles (en langage courant, des carreaux) de façon à ce qu'il n'y ait entre elles ni chevauchement ni espace vide. Par conséquent, dans sa conception mathématique, une mosaïque doit remplir deux conditions : les pièces ne peuvent ni se superposer ni laisser des espaces non recouverts.

Les mosaïques qui intéressent le plus les mathématiques sont celles dans lesquelles les tesselles sont des polygones. Ces derniers ont des arêtes en commun et font coïncider leurs sommets. Les mosaïques sont donc un excellent objet

MESURE DE L'ANGLE INTERNE D'UN POLYGONE RÉGULIER

Nous cherchons à trouver la valeur de l'angle interne d'un polygone régulier avec un nombre quelconque de côtés. Comme tous les angles internes d'un polygone régulier sont égaux, l'opération revient à calculer la somme des angles d'un polygone régulier avec un nombre prédéfini de côtés. Nous divisons ensuite le résultat par le nombre de côtés et nous obtenons la valeur de chacun des angles.

Pour calculer la somme des angles d'un polygone de A côtés, il faut choisir un sommet quelconque du polygone et tracer les diagonales qui l'unissent avec tous les autres sommets. Il y a $(A-3)$ diagonales, c'est-à-dire qu'il est possible de le joindre avec tous les sommets sauf avec les deux contigus. Les diagonales forment $(A-2)$ triangles. Aussi, la somme des angles de ces triangles est la même que celle des angles du polygone de départ. Or, nous savons que la somme des angles internes d'un triangle quelconque fait 180°. Ainsi, la somme totale sera $S=(A-2)\cdot180°$. Chacun des angles internes d'un polygone régulier avec A côtés mesurera $s=\dfrac{(A-2)\cdot180}{A}$. Dans cette expression, en remplaçant A par chacun des nombres de côtés des polygones les plus usuels, nous obtenons la table suivante :

Nombre de côtés	3	4	5	6	7	8	10	12
Angle (degrés)	60	90	108	120	128,6	135	144	150

d'expérimentation géométrique. Leur étude peut certes paraître ardue, même avec la définition que nous venons d'en donner, mais le problème qu'elles posent est pourtant résolu sur les sols et les murs de nos maisons et de nos bureaux de travail. C'est aussi le cas dans les rues que nous empruntons quotidiennement.

Le défi que représente une mosaïque est de trouver un motif minimal qui se répète et qui puisse remplir toute la surface. Ce motif minimal peut correspondre à une seule tesselle qui remplit la surface par simple translation, sans rotation ni symétrie. Avec ce processus, nous obtiendrions ce qu'on appelle une mosaïque périodique. À l'inverse, les mosaïques non périodiques sont celles qui ne comptent pas de motif minimal pour obtenir le revêtement par translation. Dans un cas comme dans l'autre, on rencontre la proportion d'or.

Supposons qu'il faille paver un sol (ou une quelconque surface plane) avec des tesselles de même type, à savoir un polygone régulier. Avec quel type de carreau réussirons-nous ? Il est de coutume de considérer qu'un quelconque polygone régulier peut faire l'affaire, mais il n'en est pas ainsi. Avec des pentagones réguliers par exemple, il n'est pas possible de paver. Pour vérifier cette assertion, il suffit de dessiner et de découper quelques pentagones réguliers, de les disposer sur une surface plane et d'essayer de couvrir une surface équivalente à la somme des aires des pentagones utilisés. Essayons d'abord de les placer suivant leurs sommets. Il n'y a aucun problème avec les deux premiers. C'est à partir du troisième que nous voyons que la figure ne se ferme pas. Il reste un espace qui ne peut être recouvert par un autre pentagone.

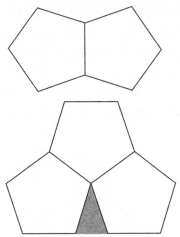

L'angle interne d'un pentagone régulier est de 108°. En unissant trois pentagones, la somme des angles fait $3 \cdot 108° = 324°$. L'espace se serait fermé si la somme faisait 360°, un tour complet. Il manque 36°. Si nous ajoutons un autre pentagone, en essayant de le faire entrer d'une quelconque manière, nous aurions le problème contraire : des degrés en trop.

Nous venons d'en déduire une condition indispensable pour paver avec des polygones égaux : la somme d'un nombre entier d'angles égaux doit être de 360°. En d'autres termes, l'angle interne du polygone régulier qui servira à paver doit être un diviseur de 360°. Or, les diviseurs de 360 sont 120, 90 et 60. Quels sont les polygones qui ont ces angles ? L'hexagone régulier, le triangle équilatéral et le carré. Il s'agit là des seuls carreaux-polygones réguliers avec lesquels il est possible de paver. Comme un hexagone peut se décomposer en six triangles équilatéraux, nous pouvons dire qu'il existe seulement deux possibilités pour revêtir une surface plane de polygones réguliers : les trames carrées et les trames triangulaires. Nous pouvons l'observer sur les sols et les murs autour de nous, où elles sont amplement utilisées.

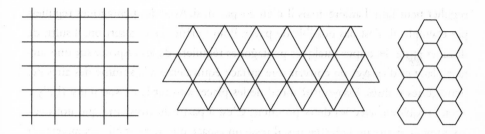

Nous n'abandonnerons pas si joyeusement les pentagones, avec l'idée qu'ils sont inutilisables. En réalité, il est possible de paver avec des pentagones irréguliers. Par exemple, le pentagone formé par un carré et un triangle équilatéral est la représentation classique d'une enveloppe ouverte. C'est un polygone équilatéral, mais ses angles ne sont pas égaux. Il existe 13 autres types de pentagones irréguliers qui eux aussi peuvent servir à paver. Si leur usage est peu commun, c'est qu'ils ne sont pas très esthétiques ; dans ce cas, la géométrie n'y est pour rien.

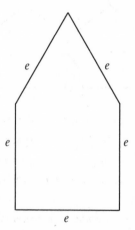

L'Alhambra fut le palais de la dynastie nasride, qui régna à Grenade jusqu'à sa reconquête par les Rois Catholiques en 1492. C'est un monument impressionnant, empreint d'art géométrique. Il est l'un des plus visités au monde. Les mosaïques y sont omniprésentes. En les analysant attentivement, on peut voir que leur base est très simple, composée de trois types de briques. C'est la translation de ces dernières et le patron dans lequel elles se répètent qui rendent le résultat surprenant. Les monuments d'art musulman ou mudéjar présentent très souvent des mosaïques obtenues grâce à des méthodes similaires à celles que nous allons voir.

La première sorte de brique de l'Alhambra est « l'os » ou « os nasride ». Nous voyons ci-dessous comment il s'obtient et le motif qu'il produit.

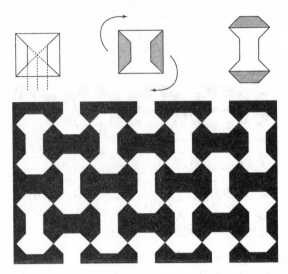

À partir d'un carré, on trace les diagonales. On divise la base en quatre segments égaux et on trace des lignes verticales entre les segments. On extrait ensuite les parallélogrammes formés par le croisement des lignes et des diagonales et on les place sur la partie inférieure de l'encadré.

Le deuxième type, « le nœud papillon », provient d'une trame triangulaire et produit un motif très usité aujourd'hui.

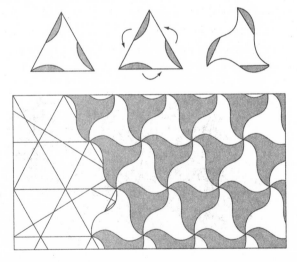

On part d'un triangle équilatéral et on trace une courbe depuis les sommets jusqu'à la bissectrice de chaque côté. On extrait les surfaces obtenues et on les place à l'extérieur.

Le troisième type est très particulier. Sa base provient d'une trame carrée et donne un motif en « clous ».

À partir des côtés d'un carré, on dessine à l'intérieur deux triangles rectangles dont l'hypoténuse correspond à la longueur d'un côté. On extrait ensuite les triangles et on les place à l'extérieur suivant les côtés opposés du carré.

Si nous passons en revue les manifestations artistiques de la mosaïque au sens strictement mathématique, nous sommes à nouveau tenus de parler de l'artiste néerlandais Escher. L'omniprésence de la géométrie dans ses œuvres ne nous permet pas de trop nous en éloigner. Escher naquit au tournant des XIXᵉ et XXᵉ siècles et eut le temps de connaître en profondeur les mathématiques contemporaines qu'il employa dans ses travaux. Son intérêt pour les mosaïques date de sa visite de l'Alhambra en 1936.

Mosaïque d'Escher avec un motif d'oiseaux qui, bien que n'étant pas des figures géométriques, permettent de couvrir une surface sans laisser d'espace vide.

Nous avons vu jusqu'à maintenant des trames régulières (triangulaire et carrée) réalisées avec une seule sorte de briques, mais il est aussi possible d'avoir des mosaïques *semi-régulières* dont les briques sont un couple de polygones réguliers distincts. L'unique condition est que la somme des angles du motif obtenu fasse 360°.

Nombreux sont les exemples de dessins qui permettent de revêtir une surface sans laisser d'espace vide au moyen de la répétition d'un même motif. Pour en citer quelques-uns, nous avons le sgraffite, les grilles, les persiennes, les pavés de marbre, les transennes ou encore les motifs utilisés dans les ateliers de confection, au crochet ou brodés.

Les grilles, les mosaïques et les dessins sur toile utilisent souvent un motif répété pour remplir les espaces vides. Ce sont habituellement des motifs géométriques.

MOSAÏQUES AU MOTIF PROPRE

Concevoir des mosaïques comme celles de Grenade n'est pas facile, mais constitue un exercice pédagogique intéressant pratiqué dans beaucoup d'écoles d'enseignement secondaire. Il ne s'agit pas seulement de créer un motif ingénieux, mais aussi de mettre en pratique la conception mathématique de la mosaïque. Peut-être qu'après avoir observé ces motifs, le lecteur souhaitera concevoir le sien ?

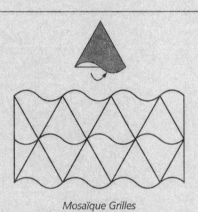

Mosaïque Grilles

Les « mosaïques de Penrose »

Les mosaïques non périodiques sont celles dans lesquelles il n'existe pas de motif minimal qui permette de revêtir toute la surface par translation. Il semble donc que la construction de telles mosaïques soit sinon impossible, du moins très compliquée, et exige pour le moins l'usage de plusieurs carreaux différents. Jusqu'aux années 1960 et 1970 du siècle passé, cela constitua un défi pour la pensée mathématique.

La première possibilité est de construire des mosaïques radiales. Il serait par exemple possible d'en construire à partir d'un seul carreau qui serait un triangle isocèle. Si l'on coupe le dessin ainsi réalisé en deux moitiés et que l'on déplace sa moitié supérieure vers la gauche, on obtient un revêtement spiral non périodique.

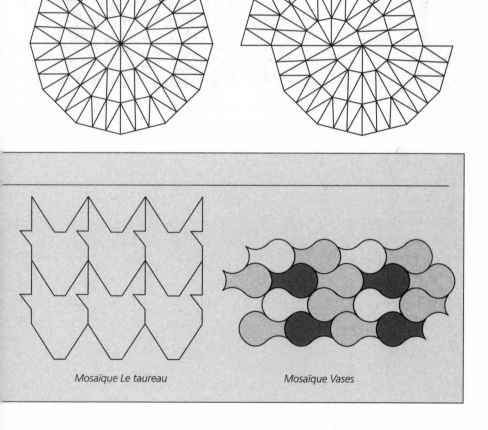

Mosaïque Le taureau

Mosaïque Vases

Un autre défi fut de réussir à former un ensemble de tesselles qui donnerait seulement des mosaïques non périodiques. Longtemps, la communauté mathématique s'y essaya mais ne trouva que des exemples qui nécessitaient une grande quantité de motifs basiques. En 1971, le mathématicien américain Raphael Mitchel Robinson conçut un ensemble qui n'utilisait que six motifs, obtenus à partir d'un carreau de forme carrée auquel il ajouta des saillants et des rentrants, indispensables pour pouvoir les emboîter.

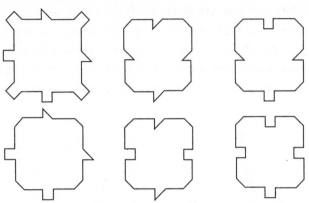

En 1973, le physicien et mathématicien Sir Roger Penrose (né en 1931) réussit à réduire le nombre de carreaux à quatre. Un an plus tard, il les réduisit à deux. Avec deux tesselles seulement, Penrose fut capable de construire des mosaïques non périodiques. Ses deux motifs s'appellent Comète et Flèche. Nous pouvons les voir sur l'illustration ci-dessous, dans les figures *ABCD* et *BCDE*. En s'unissant, ils forment un losange de côté 1 et dont les angles mesurent 72° et 108°. La présence de Φ apparaît clairement, comme on pouvait s'y attendre avec ces deux angles.

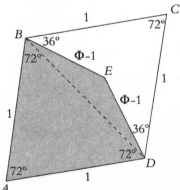

Comète (en gris sur l'illustration) est formée de deux TO unis selon l'un de leurs côtés égaux. Cela explique que les deux grands côtés aient pour mesure 1 et les deux petits $\Phi-1=1/\Phi$. Comète a trois angles de 72° et le quatrième est de 144°. Flèche est formée de deux gnomons d'or unis selon leur plus petit côté. C'est un quadrilatère concave dont les côtés coïncident avec ceux de Comète. Flèche a les angles suivants : deux de 36°, un de 72° et le quatrième de 216° (logiquement supérieur à 180°).

Il paraît évident qu'avec ces deux motifs il est aussi possible de construire des mosaïques périodiques, grâce à leur forme en losange. Si nous voulons l'éviter, il faut appliquer des règles plus strictes. Nous pouvons identifier chacun des sommets (par exemple, par une lettre) et imposer comme condition que, lorsqu'on unit les côtés, seuls les sommets désignés par la même lettre ne puissent être mis en contact.

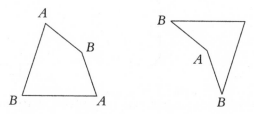

À mesure que nous prolongeons chaque « mosaïque de Penrose », la relation entre les nombres de pièces des deux types tend vers le nombre d'or. De manière intuitive, nous pourrions penser qu'il manquera plus de Flèches que de Comètes, mais c'est justement l'inverse. Il y a Φ fois plus de Comètes que de Flèches.

Penrose lui-même développa un autre jeu avec deux carreaux. Il s'agit de deux losanges, l'un formé de deux TO et l'autre, de deux gnomons d'or.

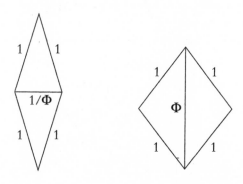

Pour construire des mosaïques non périodiques avec eux, il faut marquer les côtés ou les sommets d'une manière ou d'une autre. Dans la mosaïque de Penrose, il y a des pièces des deux types dans une proportion Φ, avec davantage de Comètes que de Flèches.

Jeux avec l'étoile pentagonale et la proportion d'or

La majorité des jeux de hasard ont une base mathématique. Pour cette raison, il n'est pas difficile d'en trouver qui aient un lien avec la proportion d'or. D'un autre côté, l'étoile à cinq branches a donné sa forme aux planches de jeux depuis

LES DAMES D'OR

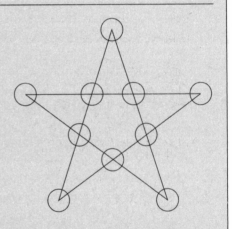

Le *Pentalpha*, l'*Étoile d'or*, les *Dames d'or* sont quelques exemples des jeux millénaires qui ont une table de jeu en forme d'étoile pentagonale. Bien qu'ils soient très anciens, ils sont encore pratiqués aujourd'hui et il n'est pas difficile de s'en procurer les règles. Nous expliquerons ici les règles du *Pentalpha*, pour son intérêt historique, et des *Dames d'or*, pour son lien très étroit, plus sentimental que mathématique, avec notre objet d'étude. Le *Pentalpha* est un casse-tête solitaire, où il faut aligner des pièces avec pour objectif final de placer neuf pièces sur les sommets du pentagramme, aussi bien sur les sommets de l'étoile qu'aux intersections intérieures. Il y a en tout dix sommets, il en restera donc toujours un de libre. Les pièces se placent en trois temps : on place une pièce sur un sommet quelconque et on compte « un » ; on se déplace en ligne vers un autre sommet (libre ou occupé, peu importe) et on compte « deux » ; on se déplace en ligne vers un troisième sommet (libre cette fois) et on compte « trois ». Ainsi, on place toutes les pièces. À mesure que la table se remplit, la tâche se complique.

Dans les *Dames d'or*, neuf pièces sont aussi nécessaires. On les place librement sur les sommets de la table de jeu, dont l'un reste libre. Chaque personne joue à tour de rôle, en mangeant des pièces comme dans les *Dames*, c'est-à-dire en sautant par-dessus une pièce s'il y a un espace libre derrière. L'objectif est de laisser une seule pièce.

des temps très reculés. Elle était déjà utilisée pour cela dans l'Égypte ancienne et c'est l'une des formes de table de jeu les plus anciennes qui existe. On a retrouvé dans le temple égyptien de Kurna des inscriptions d'un jeu dont la table avait la forme d'une étoile à cinq branches, datant approximativement de 1700 av. J.-C. Il s'agit du Pentalpha, un jeu qui se pratiquait déjà en Crète.

Pour son intérêt mathématique, nous allons maintenant nous arrêter sur une variante des classiques jeux de Nim qui utilise le nombre d'or à travers la suite de Fibonacci et qu'on appelle donc le « Nim de Fibonacci. » Commençons avec N pièces. Le jeu consiste à les retirer durant les tours alternatifs de chaque joueur, et le gagnant est celui qui les retire toutes. Naturellement, il n'est pas possible de

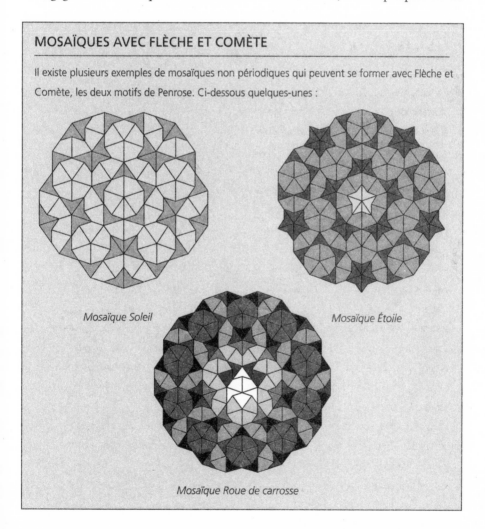

MOSAÏQUES AVEC FLÈCHE ET COMÈTE

Il existe plusieurs exemples de mosaïques non périodiques qui peuvent se former avec Flèche et Comète, les deux motifs de Penrose. Ci-dessous quelques-unes :

Mosaïque Soleil

Mosaïque Étoile

Mosaïque Roue de carrosse

toutes les retirer dès le premier tour, mais cela devient possible au cours des suivants à condition que soient respectées les règles du jeu suivantes :

• il faut retirer au moins une pièce à chaque tour ;
• il n'est pas possible de retirer plus du double des pièces qu'a retirées l'adversaire au tour précédent (si nous retirons 4 pièces lors de notre tour, notre adversaire peut en retirer un maximum de 8 lors de son tour).

Le charme mathématique du jeu réside dans le fait que si N est un nombre de la suite de Fibonacci, la probabilité que le second joueur remporte la partie est maximale, alors que si N est un autre nombre quelconque, le joueur qui commence a toutes les chances de gagner. Reste à savoir quelle stratégie doit suivre chacun des joueurs.

Les polyèdres et le nombre d'or

Un polyèdre est une figure solide dans l'espace, dont les faces sont des polygones. En général, de manière implicite, il s'agit de polyèdres convexes. Un polyèdre est dit convexe lorsque ses faces et ses arêtes ne se coupent pas elles-mêmes.

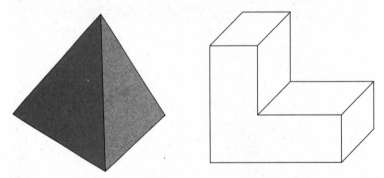

Polyèdre convexe

Polyèdre concave (les deux « côtés »
du L sont dans deux plans distincts)

Si dans un polyèdre convexe quelconque, nous appelons C le nombre de ses faces, A le nombre d'arêtes et V le nombre de sommets, la relation suivante sera toujours vérifiée. Il s'agit du théorème d'Euler :

$$C+V = A+2.$$

Un polyèdre est dit régulier quand toutes ses faces sont des polygones réguliers égaux et qu'un même nombre d'arêtes se coupe en chaque sommet. Si la seconde condition n'est pas remplie, nous aurions un polyèdre irrégulier avec des sommets de 3 et 4 arêtes :

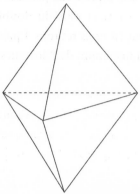

Très souvent, les cristaux de pyrite adoptent des formes dodécaédriques parfaites.
Une fois de plus, nous voyons combien les polyèdres réguliers sont présents dans la nature.

Aussi surprenant que cela puisse paraître, les Grecs savaient déjà qu'il existait autant de polygones réguliers que nous le souhaitons (avec un nombre quelconque de côtés), mais qu'il existait seulement cinq polyèdres réguliers : les solides platoniques. Trois d'entre eux ont des faces qui sont des triangles équilatéraux :

le tétraèdre (quatre faces), l'octaèdre (huit faces) et l'icosaèdre (vingt faces). Le quatrième, le cube, possède six faces carrées, et le dernier, le dodécaèdre, possède douze faces qui sont des pentagones réguliers. Ils peuvent tous s'inscrire dans une sphère, où tous leurs sommets sont tangents.

Tétraèdre

Cube

Octaèdre

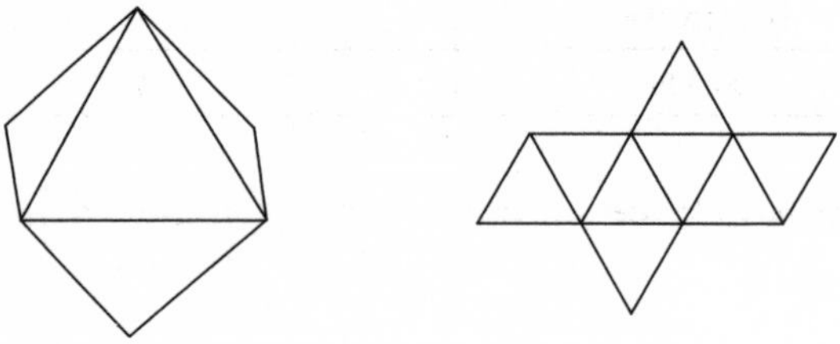

Dodécaèdre

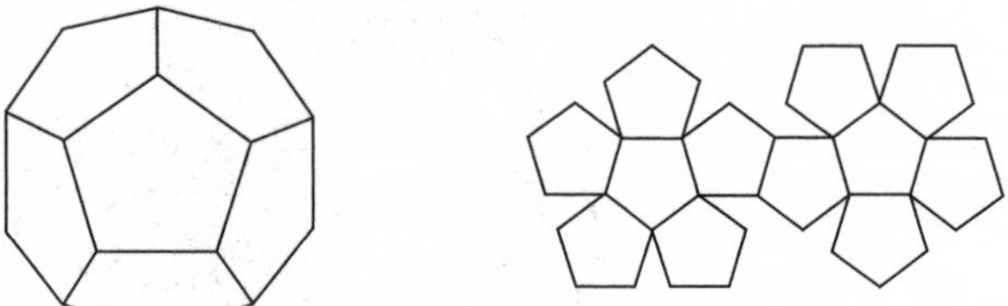

Icosaèdre

Dans la Grèce antique, chacun de ces solides était associé à l'un des éléments naturels. Le cube représentait la terre, le tétraèdre le feu, l'octaèdre l'air, l'icosaèdre l'eau, et le dodécaèdre était le symbole du cosmos, de l'univers dans sa totalité, comme le disait Platon : « La divinité l'utilisa pour tisser les constellations dans tout le ciel. »

Le grand attrait qu'éprouvaient les Grecs antiques, surtout les pythagoriciens, pour tous les polyèdres vient de la contemplation des cristaux des minerais : par exemple, les spectaculaires cristaux de pyrite en forme de dodécaèdre, qu'on trouvait fréquemment dans la Grande Grèce de l'époque, c'est-à-dire les actuelles Sicile et Calabre.

Nous voyons le nombre de faces, arêtes et sommets des polyèdres réguliers dans le tableau suivant :

	C	A	V
Tétraèdre	4	6	4
Cube	6	12	8
Octaèdre	8	12	6
Dodécaèdre	12	30	20
Icosaèdre	20	30	12

En unissant les centres des faces d'un icosaèdre, on obtient un dodécaèdre.

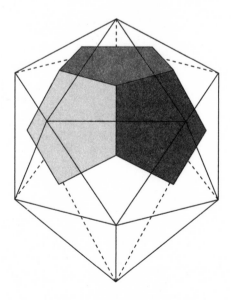

EMBALLAGES POLYÉDRIQUES

Les réfrigérateurs domestiques du monde entier sont remplis de polyèdres. L'emballage le plus fréquent pour les liquides (lait, jus, crème fraîche…) est le Tetra Brik. Ce nom commercial laisse entendre que sa forme est celle d'un tétraèdre, alors qu'il s'agit en réalité d'un orthoèdre ou d'un parallélépipède. L'explication est qu'à l'origine cet emballage avait réellement la forme d'un tétraèdre.

Le tétraèdre est très facile et rapide à construire : il s'agit simplement de plier suivant deux arêtes. Mais pourquoi donc fut-il alors écarté comme forme idéale pour les emballages ? Pour des questions logistiques. Le stockage des tétraèdres est compliqué car il laisse toujours des espaces vides. Le tétraèdre ne permet pas d'optimiser l'occupation de l'espace. Les emballages tétraédriques n'en restent pas moins utilisés dans beaucoup de pays du Tiers-Monde.

La forme actuelle des Tetra Brik offre aussi une solution simple pour construire un orthoèdre, qu'on peut étudier simplement en démontant un emballage. La propriété des Tetra Brik orthoédriques qui leur permet d'être rangés sans laisser d'espaces vides explique pourquoi ce format fut retenu.

Si nous faisons la même chose dans un dodécaèdre, nous obtenons un icosaèdre. Pour cette raison, ils se nomment tous deux des polyèdres duos.

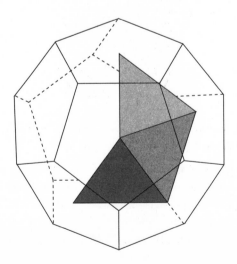

Tous les polyèdres n'ont pas la même relation avec Φ. Ceux qui ont la relation la plus proche avec le nombre d'or sont le dodécaèdre (car il est formé de pentagones) et son duo, l'icosaèdre. Le nombre Φ se manifeste dans les expressions qui nous donnent le volume et la superficie (la somme des aires des faces) des deux polyèdres. Pour une arête qui mesure une unité, nous avons

$$\text{Aire du dodécaèdre} = \frac{15\Phi}{\sqrt{3-\Phi}} = 3\sqrt{25+10\sqrt{5}} \cong 20{,}65$$

$$\text{Volume du dodécaèdre} = \frac{5\Phi^2}{6-2\Phi} = \frac{1}{4}(15+7\sqrt{5}) \cong 7{,}66$$

$$\text{Volume de l'icosaèdre} = \frac{5\Phi^2}{6} = \frac{5}{12}(3+\sqrt{5}) \cong 2{,}18$$

Si nous avons un icosaèdre et un dodécaèdre l'un dans l'autre, comme solides duos, la relation entre leurs arêtes est de

$$\frac{\Phi^2}{\sqrt{5}}.$$

D'autre part, les douze sommets de l'icosaèdre peuvent se diviser en trois groupes de quatre, chacun d'entre eux étant les sommets de chacun des rectangles d'or perpendiculaires entre eux qui se coupent au centre du polyèdre.

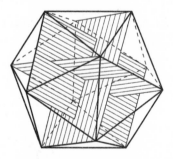

Par conséquent, si nous avons trois RO égaux et les plaçons perpendiculairement entre eux de façon à ce qu'ils se coupent en leur centre, les douze sommets qui en ressortent seront ceux d'un icosaèdre d'arête égale à la largeur des RO. C'est-à-dire que si nous prenons comme origine du repère le point d'intersection des trois RO, les douze sommets d'un icosaèdre de sommet 1 ont pour coordonnées

$$(0, \pm 1, \pm \Phi), \quad (\pm 1, \pm \Phi, 0), \quad (\pm \Phi, 0, \pm 1).$$

Chapitre 4

Beauté et perfection en art

En 1876, l'Allemand Gustav Theodor Fechner (1801-1887), l'inventeur de la « psychologie physique », mena une étude statistique auprès de personnes dépourvues d'expérience artistique auxquelles il fut demandé de choisir, parmi plusieurs propositions, le rectangle qui leur était le plus agréable. Il en résulte que le rectangle d'or et d'autres variantes très proches furent désignés par une grande majorité.

Il est très facile de reproduire l'expérience de Fechner. Pour cela, il suffit de sélectionner un panel représentatif de personnes et de leur présenter des rectangles de types différents. La simple question « Lequel vous plaît le plus ? » met en évidence des résultats surprenants. Mais, comme le savent bien les spécialistes, l'évaluateur doit lui aussi être évalué. Observez les figures ci-dessous : quel est le rectangle qui vous plaît le plus ?

Fechner réalisa également de méticuleuses études statistiques sur les proportions du corps humain et en arriva à la conclusion suivante : « Pour qu'un objet

Sont représentés quelques-uns des rectangles du test de Fechner. Lequel vous plaît le plus ?
À la page suivante figurent les proportions de chacun d'eux.

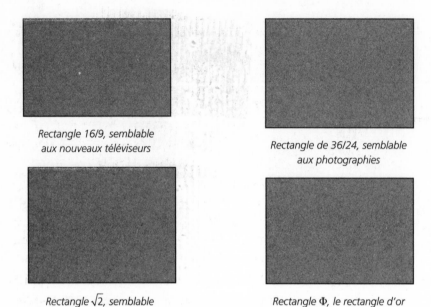

Rectangle 16/9, semblable
aux nouveaux téléviseurs

Rectangle de 36/24, semblable
aux photographies

Rectangle √2, semblable
aux feuilles DIN A

Rectangle Φ, le rectangle d'or

soit considéré comme beau du point de vue de la forme, il doit y avoir, entre la partie la plus petite et la partie la plus grande, la même relation qu'entre la plus grande partie et le tout. » Ceci est la description de la relation d'or : la science semble donc finalement accorder du crédit à l'idée que la divine proportion possède une harmonie et une beauté intrinsèques.

Néanmoins, bien avant cela, de nombreux artistes et architectes de toutes les époques étaient arrivés à des conclusions similaires. L'influence de la section d'or et de ses différentes manifestations est déjà présente depuis la Grèce antique. Cependant, l'histoire de sa relation avec l'art commence vraisemblablement avec la Renaissance et le début de la théorisation rigoureuse de l'acte créatif.

La divine proportion de Luca Pacioli

Luca Pacioli vécut dans l'Italie du XVe siècle et du début du XVIe. Il fut avec Léonard de Vinci à l'origine de l'introduction du nombre d'or dans le monde de la beauté et de l'art. En effet, Pacioli y fait allusion dans son livre *De divina proportione*, écrit vers la fin de l'année 1498. L'œuvre fut publiée à Venise bien des années plus tard, en 1509, l'auteur n'ayant écrit entre-temps que trois ouvrages. Jusqu'à la version finale, les chapitres fondamentaux pour notre présent ouvrage comme le *Traité d'architecture*, inspiré par l'architecte romain Vitruve, n'apparaissent pas.

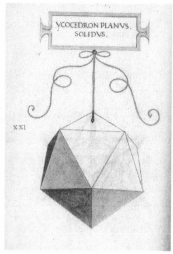

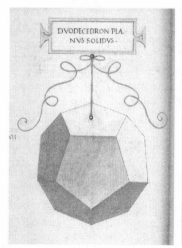
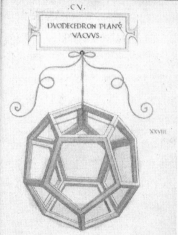

Illustrations par Léonard des polyèdres suivants (de haut en bas et de gauche à droite) : icosaèdre solide, icosaèdre creux, dodécaèdre solide et dodécaèdre creux.

De divina proportione fixe les proportions à respecter pour atteindre la beauté suprême, sous forme d'une réflexion sur la géométrie. Dans cette œuvre apparaissent les fameux soixante polyèdres dessinés de la main du maître de Vinci et également son très célèbre *Homme de Vitruve*, basé sur Φ, qui a été revisité à maintes reprises au fil des années. Ainsi, ce livre rassemble les éléments indispensables des œuvres théoriques les plus importantes de la culture occidentale : une époque, la Renaissance ; un lieu, l'Italie ; et les protagonistes fondamentaux, les artistes, architectes, mathématiciens et philosophes ayant marqué l'histoire et l'art européens.

LUCA PACIOLI (1445-1517)

L'éclectique Luca Pacioli naquit en 1445 à Bolgro Sansepolcro, terre du peintre Piero della Francesca (1412-1492), qui lui donna ses premières leçons d'art et de mathématiques. Il vécut et étudia à Venise, puis, invité par l'architecte Leon Battista Alberti (1404-1472), il se rendit à Rome, où il devint moine dans un couvent franciscain. Il travailla comme professeur de mathématiques dans différentes universités jusqu'à ce qu'il intègre la cour de Ludivico Sforza, *Il Mor*, à Milan. C'est là qu'eut lieu une heureuse rencontre au regard de l'Histoire : Pacioli fit la connaissance de Léonard de Vinci. Après l'occupation de Milan par les Français, il voyagea dans les plus importantes universités italiennes : Pise, Rome et Bologne. Il y rencontra notamment Scipione del Ferro (1465-1526), le célèbre algébriste italien qui contribua à la résolution, par des radicaux, de l'équation générale du second degré à une inconnue. Luca Pacioli mourut dans sa ville natale en 1517.

L'influence de son travail ne saurait se réduire à *De divina proportione*. Les démonstrations de son génie commencent avec la *Summa de arithmetica, geometria, de proportioni et de proportionalita*, une œuvre encyclopédique de plus de 600 pages, publiée à Venise en 1494. Dans celle-ci, il fait déjà référence à l'importance des proportions dans l'architecture en affirmant que « les offices divins n'ont que peu de valeur si l'église n'est pas construite selon la proportion adéquate ».

On a conservé un portrait de Luca Pacioli datant de 1495, peint par Jacques de Barbary, exposé au musée de Capodimonte de Naples. Le mathématicien y apparaît en habit franciscain, enseignant la géométrie euclidienne (pour éliminer tout doute concernant ses sources) à un jeune noble (le duc d'Urbino). Maître et élève sont entourés de polyèdres et d'outils géomé-

triques. À gauche pend un polyèdre appartenant à la famille des solides d'Archimède, dont les faces sont des polygones réguliers de même arête, mais non égaux. Beaucoup de ces polyèdres apparaissent dessinés par Léonard de Vinci dans *De divina proportione*.

Portrait de Luca Pacioli, de Jacques de Barbary.

Léonard : la perfection d'or

Léonard de Vinci (1452-1519) est l'un des plus grands exemples qu'offre l'Histoire de l'idée de génie. Ses contributions ne se limitent pas à un champ étroit, mais englobent des domaines de connaissance aussi éloignés les uns des autres que les mathématiques, la physique-chimie, le génie civil, la technologie, la peinture, l'architecture, etc. Le plus incroyable chez Léonard est qu'il excellait dans tout ce qu'il faisait. À plus ou moins brève échéance, ses travaux ont tous fini par révéler leur importance dans leurs domaines respectifs. Il est le prototype de l'homme de la Renaissance, qui se passionne pour des choses très diverses et qui est compétent en tout.

L'attraction exercée par ce personnage tout au long de l'Histoire et dans le monde entier s'explique par sa stature intellectuelle, mais également par bien

UN GÉNIE DE LÉGENDE

Léonard naquit à Vinci, un village proche de Florence, en 1452. Il était le fils illégitime d'un notaire, mais celui-ci l'éleva comme le reste de ses enfants. Il resta dans la maison familiale jusqu'à son intégration comme apprenti dans l'atelier du peintre Andrea del Verrochio. En 1472, il fut inscrit comme maître peintre. Sa première commande fut une table pour le Palazzo Publico qu'il ne termina jamais (c'est Filippino Lippi qui le fit). Sa relation avec les Médicis, seigneurs de la ville, fut désastreuse. En 1486, il déménagea à Milan, alors sous la gouvernance du duc Ludovico Sforza, qui s'efforça de donner à la ville la même importance culturelle qu'à Florence. C'est à son service que Léonard peignit la *Vierge*

Autoportrait de Léonard de Vinci âgé, peint vers 1513.

aux rochers et la fresque de *La Dernière Cène* pour le couvent de Santa Maria delle Grazie. À la chute de Ludovico Sforza en 1500, le maître partit vivre à Bergame, Mantoue et Venise, mais finit par retourner à Florence. C'est là qu'en 1505, il peignit son tableau le plus connu : la *Joconde* ou *Mona Lisa*, un tableau chargé de mystères. En effet, nous ignorons l'identité de la femme représentée, de même que la signification de son mystérieux geste ou encore le lieu dans lequel elle se trouvait lors de sa représentation.

En 1513, Léonard s'installa à Rome, où il travailla pour le Pape Léon X. En 1517, il accepta alors l'invitation du roi François Ier à venir séjourner en France. Il y mourut en 1519, au château du Clos-Lucé, assisté par le roi de France en personne, si l'on en croit la légende.

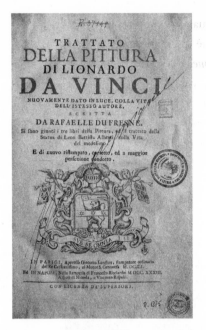

Couverture du Traité de la peinture *de Léonard, dans lequel il étudie la relation entre cette discipline artistique et les mathématiques.*

d'autres traits de sa personne, qui ont contribué à construire l'archétype du génie en avance sur son temps.

Pour commencer, sa personnalité n'avait rien de commun, et encore moins à son époque. Végétarien, gaucher, vraisemblablement homosexuel, il était si obsédé par l'idée irrépressible du progrès qu'il pouvait flirter avec la limite de la légalité lors de ses expériences, voire la franchir. Sa tendance à l'hermétisme contribue également à alimenter sa légende. Ainsi, il écrivait de manière cryptographique, en utilisant l'image inversée des lettres (comme vues dans un miroir) ; de même, sa production artistique, certes peu dense, reste très énigmatique, à l'image de la fameuse *Joconde*, dont beaucoup d'éléments nous échappent encore aujourd'hui.

Les dessins et manuscrits de Léonard de Vinci sont réunis en dix volumes conservés dans plusieurs musées européens. L'un d'eux fait partie de la collection personnelle du magnat Américain Bill Gates, qui l'a obtenu moyennant quelques millions de dollars. Si nous écrivons le nom de Léonard de Vinci dans n'importe quel moteur de recherche sur Internet, nous rencontrerons plus de 12 400 000 pages le concernant.

Léonard fut le théoricien de l'art et de la peinture et le fervent défenseur de leur association avec les mathématiques. Son œuvre *Traité de la peinture* commence avec la phrase suivante : « Que nul ne lise mes œuvres s'il n'est mathématicien. » L'œuvre fut achevée vers 1498, mais ne sera publiée qu'au milieu du siècle suivant.

Léonard n'intervint qu'en tant qu'illustrateur dans *De divina proportione*. Pourtant, Pacioli lui-même, dans son œuvre, souligne l'importance des études mathématiques du génie dans le domaine artistique. Il écrit : « Les pyramides de ce livre, comme les autres formes, sont également de la main de mon compatriote précédemment nommé, Léonard de Vinci de Florence, celui qu'aucun homme n'a jamais concurrencé dans la science du dessin. » Ces formes, ainsi que *L'Homme de Vitruve*, sont devenues de nos jours de véritables icônes, témoignages d'un courant de pensée qui réunissait sensibilités artistique et scientifique – l'idéal humaniste. Bien souvent, à différentes époques de l'Histoire, quand une personne apparaît comme un phénomène physique dans une quelconque discipline sportive, on la compare au modèle de Léonard dans *De divina proportione*.

Léonard appliqua la connaissance scientifique des proportions du corps humain aux études de Pacioli et Vitruve sur la beauté. Suivant l'idéal de la Renaissance, *L'Homme de Vitruve*, qui représente l'homme parfait, place l'homme au centre de l'univers, puisqu'il s'inscrit dans un cercle et un carré. Le dessin suit les recommandations du Romain Vitruve (Marcus Vitruvius Pollio), l'architecte de Jules César, qui vécut au Iᵉʳ siècle avant J.-C. Cet architecte, ingénieur et auteur romain redevint célèbre à la Renaissance, avec la traduction et la publication en 1486 de toute son œuvre. Dans les décennies suivantes, les œuvres de Vitruve furent rééditées

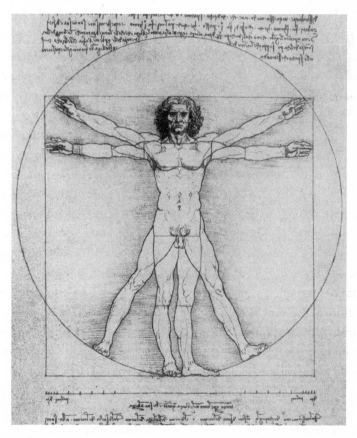

L'Homme parfait *ou* L'Homme de Vitruve, *actuellement conservé à l'Académie royale de Venise. Il montre les proportions géométriques idéales du corps humain, inséré dans un carré et un cercle. Le quotient entre la mesure du côté du carré et celle du rayon du cercle est le nombre d'or.*

dans toutes les grandes villes italiennes. L'architecture de la Renaissance les a utilisées comme base pour ses théories. Même De Vinci confessa souvent que le Romain était sa grande source d'inspiration.

Vitruve donne des références concernant le corps humain qui sont basées sur des quotients simples. Il explique que la hauteur est égale à l'envergure et qu'un homme allongé, bras et jambes tendus, décrit un cercle. Beaucoup d'artistes ont tenté de reprendre dans un même dessin les trois formes suivantes : le corps humain, le carré et le cercle, sans toutefois parvenir à des résultats probants. De Vinci trouva une solution originale et élégante, basée sur l'idée que le carré et le cercle ont des centres différents. Les organes génitaux constituent le centre du carré et le nombril est le centre du cercle. Les proportions idéales du corps humain qui apparaissent dans cette figure correspondent au nombre d'or, soit le *ratio* entre le côté du carré et le rayon du cercle. Ainsi, la géométrie unit technique et beauté à travers le nombre d'or.

Les mesures idéales

L'Homme de Vitruve représente les proportions à peu près normales du corps humain d'une personne adulte, utilisées depuis la Grèce classique comme canon artistique pour représenter la personne idéale. Voici quelles sont précisément ces proportions :

> *Hauteur totale = longueur des bras étendus (distance entre les pointes des doigts de chaque main, les bras à l'horizontale) = 8 empans = 6 pieds = 8 têtes = 1,618 × hauteur nombril (distance du sol au nombril).*

Comme nous pouvons le voir, la relation 1,618 apparaît comme une bonne approximation de Φ. Si nous vérifiions ces mesures sur notre propre corps, nous serions certainement très contrariés. Il est difficile de se rapprocher de celles-ci : ce sont les proportions d'une beauté idéalisée. Mais il existe une autre manière d'interpréter le canon idéal de beauté : la statistique. Si nous comparons la moyenne des mesures individuelles d'un échantillon significatif de personnes avec les mesures idéales, nous verrons qu'elle se rapproche davantage du canon de beauté : l'être humain est idéal seulement dans sa moyenne. Le mathématicien belge Lambert Adolphe Quételet (1796-1874) fut l'un des pères des statistiques modernes ; en 1871, ses études statistiques sur les proportions des hommes européens confirmèrent dans leur ensemble les proportions idéales.

À ÉCHELLE HUMAINE

Malgré le fait que leur usage soit devenu si commun et qu'il nous semble impossible qu'il ait pu en être autrement, l'humanité n'a pas toujours utilisé les mètres et les centimètres du système métrique décimal.

Durant des siècles, il apparut beaucoup plus naturel d'utiliser des unités de mesure ayant à voir avec le corps humain : pieds, paumes, doigts, pouces, etc. Logiquement, la quantité représentée était déduite de la partie réelle du corps dont on empruntait le nom. Un pouce ne représentait pas grand-chose et, évidemment, beaucoup moins qu'une paume.

Mais toutes les personnes ne possèdent pas la même pointure. Par conséquent, d'où provient l'étalon du « pied universel » ? L'étalon d'une mesure était fixé en fonction de celles de personnages illustres. Par exemple, le yard, unité de mesure encore utilisée de nos jours dans les pays anglo-saxons, fut définie par le roi Henri Ier d'Angleterre au XIIe siècle. Elle correspondait à la distance entre la pointe de son nez et son pouce quand il étendait le bras. À partir de cette mesure, on a défini le pied comme étant le tiers de cette longueur.

À partir de là, se posent bon nombre de questions intéressantes. À quelles proportions correspondent les canons de beauté des autres civilisations, comme l'indienne ou la chinoise, dont les différences physiques avec les traits européens se remarquent à première vue ?

Il est certain que la beauté est un idéal dans les différentes cultures ; mais s'agit-il du même concept ? Les enquêtes réalisées sur les mesures du corps humain dans les différents pays et cultures ont démontré que nous sommes tous semblables. Soit dit en passant – et nous refermons la parenthèse – il existe des études du même type sur l'enseignement des mathématiques qui confirment que les structures mentales sont les mêmes d'un continent à l'autre.

Le nombre d'or dans la peinture

Durant la Renaissance, le développement de la perspective et la recherche des proportions idéales pour atteindre la beauté ont fait converger les préoccupations des artistes et celles des scientifiques. Le moment de la théorisation de la perspective est aussi celui de la naissance de la géométrie projective, fondée par les peintres de la Renaissance eux-mêmes lorsqu'ils réussirent à figurer de manière réaliste les objets tridimensionnels dans leurs tableaux, c'est-à-dire en deux

LEON BATTISTA ALBERTI (1404-1472)

Alberti naquit à Genève en 1404, quand Brunelleschi était en plein apogée. Il était le fils naturel d'un riche commerçant et banquier florentin, chassé de Toscane pour motifs politiques. Il fut un excellent exemple de l'homme de la Renaissance : il se dédia principalement à l'architecture, aux mathématiques et à la poésie, mais se forma également à la linguistique, à la philosophie, à la musique et même à l'archéologie. Alberti intégra la seconde génération d'artistes de la Renaissance et en devint la figure la plus emblématique. Selon lui, « l'artiste dans ce contexte social ne doit pas être un simple artisan, mais un intellectuel formé dans toutes les disciplines et sur tous les terrains ». Il travailla comme architecte pour le célèbre commerçant et humaniste Giovanni di Paolo Rucellai, pour qui il réalisa la façade de Santa Maria Novella, basée sur la proportion d'or. Ses travaux figurent parmi les œuvres majeures de l'histoire de l'architecture : le palais Rucellai, la villa Médicis, etc.

Quand Alberti mourut à Rome en 1472 après une vie intense, il laissa derrière lui des œuvres inoubliables et les théories les plus influentes. Au moment de sa mort, sa relève était déjà assurée. Le jeune Léonard de Vinci était alors âgé de 20 ans.

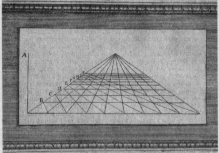

Dans sa célèbre fresque de la chapelle Brancacci, Masaccio peignit (de gauche à droite) Masolino, son autoportrait (celui qui nous regarde), Leon Battista Alberti et Brunelleschi (illustration ci-dessus). À côté, une page appartenant au livre premier du Traité de la peinture de Leon Battista Alberti (édition réalisée en 1733 avec des gravures de Francesco Sesoni).

dimensions. Léonard de Vinci, mais aussi Raphaël et Dürer jouèrent un rôle fondamental dans ces réussites. En 1435, apparut l'œuvre fondatrice de la perspective : le *Traité de la peinture* de Leon Battista Alberti, qui propose des méthodes permettant de représenter la réalité.

Dans cet ouvrage sont apparues des idées qui ont tout changé et se sont transformées en nouvelles règles, comme celles qu'expriment les fameuses phrases : « Le premier prérequis pour un peintre est de connaître la géométrie » et « Le cadre est une fenêtre ouverte à travers laquelle on regarde l'objet peint ».

L'obsession d'Alberti était la recherche de règles théoriques et pratiques destinées à guider le travail des artistes, ce pour quoi ses œuvres ne cessent de multiplier les canons. Dans *De statuta*, il expose les proportions du corps humain ; dans *De pictura*, il conçoit la première définition de la perspective scientifique ; et dans *De re aedificatoria*, il décrit sa conception de l'architecture moderne, complètement imprégnée de la proportion d'or. Ce que ses propositions ont de révolutionnaire repose en fait sur une constante de la connaissance humaine : le mélange entre l'ancien et le moderne, qui, pendant la période de la Renaissance, avait commencé avec Filippo Brunelleschi.

Léonard de Vinci continua l'étude de la perspective, en plein essor et développement formel et théorique à son époque. Le génie affirma que « la perspective est comme le gouvernail et les rênes de la peinture ». Son influence est clairement identifiable chez beaucoup d'artistes qui lui ont succédé, en particulier chez Albrecht Dürer, qui lui aussi s'intéressa à la recherche des fondements scientifiques de la peinture. Bien qu'on ne dispose pas de témoignage direct de l'usage

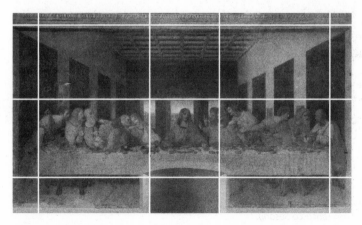

Les éléments de la composition de La Dernière Cène *de Léonard ont des proportions d'or.*

de la proportion d'or de la part de Léonard, la composition d'œuvres telles que *La Dernière Cène* dissimule de manière étonnante diverses formes du nombre d'or, en particulier le rectangle.

Dans cette œuvre, le rectangle d'or définit aussi bien les dimensions de la table que la disposition des disciples tout autour du Christ. Maintenant que nous sommes des familiers de la proportion d'or, nous pouvons constater à vue d'œil qu'il en est de même pour les murs de la pièce ainsi que les fenêtres du fond.

La raison d'or n'est pas non plus absente du portrait de *La Joconde*. Diverses études montrent comment le portrait de *Mona Lisa*, tant dans son ensemble que dans ses détails, est encadré avec précision dans une élégante succession de plusieurs rectangles d'or.

Le portrait de La Joconde *est intégré dans des rectangles d'or superposés.*

L'étoile pentagonale se distingue clairement dans la composition de La Sainte Famille *de Michel-Ange.*

De façon générale, les peintres de la Renaissance influencés – consciemment ou non – par la proportion d'or utilisèrent les RO pour les proportions à tous les niveaux de détails. Le symbole pentalpha leur servait pour la distribution de l'espace, régissant par-dessus tout l'emplacement des personnages. La spirale d'or s'utilise aussi dans ce même but. Un exemple d'organisation régie par l'étoile pentagonale est celui de *La Sainte Famille* de Michel-Ange. La présence de Φ dans *La Flagellation* de Piero della Francesca et *La Naissance de Vénus* de Sandro Botticelli offre des images d'une beauté bouleversante. Tracer les formes qui organisent ces œuvres est un délicieux défi.

Dans La Naissance de Vénus *de Sandro Botticelli, le corps de la déesse montre des proportions d'or.*

Le plus remarquable successeur de Léonard fut Albrecht Dürer. En 1525, Dürer publia le premier livre de mathématiques écrit en allemand : *Instructions pour la mesure à la règle et au compas de figures planes et solides*, généralement connu sous le nom plus simple *De la mesure*. Le peintre et mathématicien y livre sa philosophie de la beauté, qui réside dans l'harmonie des proportions : « La beauté consiste en l'harmonie

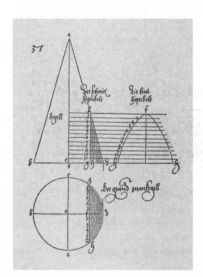

des parties entre elles et avec le tout. […] De même que chaque partie en soi doit être convenablement dessinée, leur union doit aussi créer une harmonie globale, […] parce que les éléments harmonieux sont considérés comme beaux. »

De la mesure décrit la construction d'un grand nombre de courbes, comme la conchoïde, la spirale d'Archimède et la spirale basée sur le nombre d'or, également connue à partir de là comme la spirale de Dürer.

Construction de la section conique de la parabole, dans De la mesure.

108

Le livre offre des méthodes exactes (et d'autres approximatives) pour construire des polygones réguliers ; il considère les pyramides, les cylindres et autres corps solides et étudie les cinq solides platoniciens, comme les solides semi-réguliers d'Archimède. Dürer n'oublie pas non plus la construction des sections coniques, comme la parabole. Dans l'ensemble, comme nous pouvons le voir, son œuvre peut être considérée comme le début de la géométrie descriptive.

Finalement, le livre s'apparente à une introduction à la théorie de la perspective. Dürer réalisa plusieurs gravures dans lesquelles il montre les appareils nécessaires pour retranscrire en dessins la réalité.

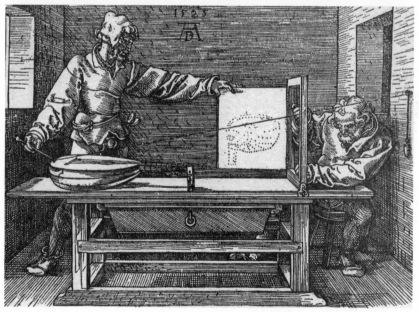

Deux gravures de Dürer figurant les appareils nécessaires à la réalisation d'un dessin en perspective.

ALBRECHT DÜRER (1471-1528)

Dürer est considéré comme la plus grande figure de la Renaissance hors d'Italie. Il naquit en 1471 à Nuremberg, où il se forma en tant que peintre et graveur. Une fois son instruction terminée, il voyagea à travers l'Allemagne et, en 1494, visita Venise. C'est à cette occasion qu'il découvrit l'œuvre mathématique de Pacioli. L'année suivante, il ouvrit son propre atelier dans sa ville natale. En plus de la peinture, il se consacra à l'étude des mathématiques. Il vécut en Italie de 1505 à 1507, plus désireux de s'y former aux mathématiques qu'à son art, dans lequel il était déjà un maître accompli. Il fut nommé peintre à la cour de l'empereur germanique Maximilien Ier en 1512. Le nouvel empereur Charles Quint le renouvela dans sa fonction en 1520. En plus du traité *De la mesure*, il écrivit aussi *Les Quatre Livres des proportions du corps humain*.

Quant aux gravures de l'artiste, *Melencolia I* est certainement la plus connue. Dans cette dernière, Dürer montre son habileté à tracer plusieurs objets en perspective, en particulier ce qui semble être un rhomboèdre, situé vers la gauche. À droite apparaît un carré magique, un carré composé de nombres tels que la somme des lignes, colonnes et diagonales est constante. Les nombres qui se trouvent dans les deux cases centrales de la ligne inférieure donnent la date de l'œuvre : 1514.

Melencolia I *de Dürer, et le détail du carré magique dans lequel on constate le lien étroit entre l'œuvre de Dürer et ses connaissances mathématiques.*

Il faudra attendre quelques siècles pour que se renouvelle la relation entre l'art et les mathématiques. Le moment privilégié se situe au début du XXᵉ siècle, avec l'essor de l'art abstrait. Les historiens de l'art Lucy Adelman et Michel Compton écrivirent à propos de cette époque : « Avant tout, il y avait un intérêt généralisé pour la géométrie non euclidienne et/ou *n*-dimensionnelle… Dans un deuxième temps, la période fut marquée par la déroute de la perspective, remplacée par divers canons moins systématiques. Dans un troisième temps, les artistes ont fait usage de proportions numériques et de grilles qui, comme les formes géométriques, s'associaient à l'idée de réduire l'art à ses éléments spécifiques. Dans un quatrième temps, apparurent en peinture des éléments extraits de textes de mathématiques… Pour finir, de simples formes géométriques s'associèrent aux machines et à leurs produits et de cette manière au progrès et à la modernité. »

Ce fut un moment d'effervescence créative des deux disciplines. En 1912, eut lieu un événement révolutionnaire, comme le signala le peintre et sculpteur suisse Max Bill : « Le point de départ de cette nouvelle conception est probablement dû à Kandinsky, qui dans son livre *Ueber das Geistige in der Kunst* (*Du spirituel dans l'art*) posa en 1912 les prémices d'un art dans lequel l'imagination de l'artiste se substituerait à la conception mathématique. » Piet Mondrian décrivit le change-

---

LE CRÂNE ANAMORPHOSÉ

L'anamorphose est un effet grâce auquel les objets représentés sont seulement visibles depuis un emplacement déterminé ou à travers un élément spécifique qui modifie le point de vue de l'observateur, comme un cône, par exemple. Le plus célèbre ancêtre de l'anamorphose est le tableau *Les Ambassadeurs* de Hans Holbein (1497-1543), dans lequel apparaît dans la partie inférieure un crâne déformé que nous ne pouvons parfaitement voir qu'en le regardant du point de vue adéquat.

Composition suprématiste, *réalisée en 1915 par Kazimir Malevitch. Les peintres abstraits partent aussi de la géométrie pour leurs compositions, et dans celle-ci la proportion d'or semble apparaître.*

ment de la façon suivante : « Le néoplasticisme prend sa source dans le cubisme. On peut aussi l'appeler "peinture abstraite-réelle", parce que l'abstrait (comme les sciences mathématiques, mais sans atteindre comme elles l'absolu) peut être exprimé par une réalité plastique dans la peinture. Celle-ci est une composition de plans rectangulaires colorés qui exprime la réalité la plus profonde, transmise à travers l'expression plastique des relations et non à travers l'apparence naturelle… La nouvelle plastique pose ses problèmes en équilibre esthétique et exprime de cette façon la nouvelle harmonie. »

Max Bill définit cette nouvelle manière de comprendre l'art : « La conception mathématique de l'art, ce n'est pas les mathématiques au sens strict du terme. On peut même dire qu'il serait difficile par cette méthode d'utiliser ce qui se comprend par les mathématiques pures.

C'est bien plus une configuration de rythmes et de relations, de lois qui ont des origines individuelles, de la même façon que les mathématiques trouvent l'origine de leurs éléments novateurs dans la pensée de leurs inventeurs. »

Beaucoup d'artistes célèbres du XXᵉ siècle ont un goût prononcé pour les mathématiques. De nombreuses œuvres fondamentales sont conçues de façon mathématique ou bien utilisent les mathématiques comme source d'inspiration. On peut citer non seulement l'omniprésent Escher, peut-être le plus populaire, mais également des mouvements comme le suprématisme ou le cubisme. Le courant cubiste appelé « la Section d'or » se basait sur l'idée de la recherche de formes universelles. Cette Section d'or fut dirigée par Marcel Duchamp, et des hommes aussi illustres que Le Corbusier, Juan Gris et Fernand Léger y ont participé.

La proportion d'or dans l'architecture

La présence de la proportion d'or est sensible dans les constructions humaines depuis l'Égypte ancienne, même si nous pouvons rarement affirmer qu'il se soit agi d'un choix délibéré. La hauteur et la base de la Grande Pyramide de Kheops, par exemple, entretient un rapport intime avec Φ.

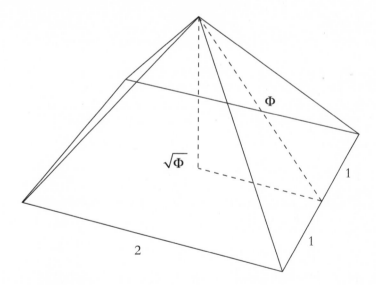

Les arcs de triomphe de la Rome classique reproduisent la proportion d'or, tout comme les tombes lyciennes et les églises de la ville antique de Mya (l'actuelle Demre turque).

D'autres civilisations, très éloignées de la culture classique, paraissent se rejoindre dans leur estime du nombre d'or. Non loin du lac Titicaca, près de la capitale de la Bolivie, La Paz, on trouve la porte du Soleil de Tiwanaku, monument d'une culture pré-inca entièrement régi par Φ.

La porte du Soleil de Tiwanaku (Bolivie), qui est à l'heure actuelle à moitié détruite, possède une composition qui semble articulée par des rectangles d'or. La construction date approximativement de 1 500 ans avant J.-C.

On a toujours considéré que, de toutes les constructions de l'Antiquité, l'exemple le plus représentatif de l'usage classique de la proportion d'or dans l'architecture était le Parthénon. Ce n'est pas sans raison que le nom moderne du nombre d'or, *Phi*, est l'initiale du constructeur de ce monument, Phidias. Cependant, aujourd'hui, ce point de vue est sujet à discussion.

Le Parthénon d'Athènes, dont les proportions d'or sont traditionnellement considérées comme paradigmatiques, bien que la mesure exacte sur le terrain présente de légères divergences.

En Occident, c'est certainement la culture grecque qui a le plus valorisé la moyenne et extrême raison, mais un relevé précis des mesures sur le terrain fait apparaître une quantité d'inexactitudes si surprenantes qu'elles ont fini par semer le doute dans la communauté des experts. Est-il possible que, dans l'histoire de la culture occidentale, il y ait eu une tentative de découverte *a posteriori* de la relation d'or dans la conception du Parthénon, plus qu'une utilisation consciente de la part de ses constructeurs ? C'est le problème de l'interprétation quand les données sont ambiguës. Cette question a donné beaucoup de travail, dans toutes les civilisations, aux exégètes de tous les temps. On peut toujours trouver 666 pas, marches, ou pouces entre deux points quelconques pour justifier la montée du démon depuis l'enfer ou la descente du prophète depuis le ciel. De la même manière, en prenant les mesures appropriées dans n'importe quel monument, on peut toujours tomber sur Φ comme quotient, même si l'architecte ne pensait pas à lui lors de la construction.

Cependant, nous pouvons attester que les manifestations de la divine proportion au Moyen Âge résultent d'usages conscients, parce qu'elles sont documentées. Le pentagone régulier ou le pentagone en étoile apparaissent comme outils de construction durant toute cette période. Les spectaculaires rosaces des cathédrales gothiques en sont des exemples classiques.

Avec l'édition traduite de Vitruve, les théoriciens de l'architecture de la Renaissance revendiquèrent la nécessaire harmonie des proportions dans les constructions, après la beauté. Dans le paragraphe suivant de *La Divine Proportion*, Luca Pacioli replace l'homme au cœur de toute chose : « Nous avons parlé précédemment des proportions humaines en référence au corps et aux membres. Toute mesure, avec ses dénominations, dérive du corps humain. C'est en lui que sont révélées, par le doigt du Tout-Puissant, toutes sortes de proportions et proportionnalités qui révèlent les secrets les plus intrinsèques de la nature », pour ensuite l'utiliser comme mesure du monde : « Et c'est pourquoi les Anciens, considérant la convenable disposition du corps humain, ont rendu toutes leurs œuvres, et avant tout les temples, conformes aux proportions de ce corps. Car en lui se rencontrent les deux formes principales sans lesquelles il est impossible de faire quoi que ce soit, c'est-à-dire le cercle... et le carré. »

Dans le livre *De re aedificatoria*, l'éclectique Leon Battista Alberti (1404-1472) affirme que la beauté consiste en l'harmonie des partie entres elles et avec le tout. Alberti dit que la beauté « est la valeur absolue d'un organisme esthétique, qui irradie l'âme humaine d'une joie intérieure, suscitant une harmonie irremplaçable entre les hommes et l'univers, grâce au calcul mathématique et au jeu des proportions, ou en des termes empruntés au *Timée* de Platon, aux moyennes pythagoriciennes. »

L'étroite relation entre proportion et harmonie dans le milieu de la musique stimula cette recherche de la concordance entre les éléments d'une construction. L'idée est peut-être partie de la réflexion d'Andrea Palladio (1508-1580), l'architecte vénitien du maniérisme, qui allait avoir tant d'influence sur le néoclassicisme. Dans son œuvre *Quatre Livres d'architecture*, il considère que les proportions des voix sont harmonieuses pour les oreilles, tandis que celles des dimensions sont harmonieuses pour les yeux : « Ces harmonies ont l'habitude de plaire considérablement, sans que personne, sauf ceux qui étudient les causes des choses, sachent pourquoi. »

L'Italie de la Renaissance ne fut pas la seule à pratiquer l'usage du nombre d'or dans le dessin de ses édifices monumentaux. L'université de Salamanque

Un grand rectangle d'or compose la façade de l'université de Salamanque.

est la plus ancienne d'Espagne (datée de 1218) et la première d'Europe à avoir obtenu le titre d'université. La façade fut reconstruite au xvᵉ siècle suivant le style plateresque, une fusion entre les styles mudéjar et gothique flamboyant, spécifique à la Renaissance espagnole. La relation d'or détermine ses proportions.

Architecture contemporaine

Les avancées dans les techniques de construction et le développement de nouveaux matériaux firent exploser les limites de l'imagination des architectes du xxᵉ siècle. L'Américain Frank Lloyd Wright (1867-1959) fut l'un des représentants de l'architecture organique. Peu avant de mourir, en guise d'œuvre ultime et d'héritage légué à la postérité, il dessina la grande rampe d'accès au musée Guggenheim de New York selon une forme très osée : la structure du nautilus, c'est-à-dire une spirale.

Extérieur et intérieur du musée Guggenheim de New York dont la forme de spirale d'or révolutionna l'architecture au moment de sa conception.

L'architecte Polonais Zvi Hecker (né en 1931) utilisa aussi des dessins en forme de spirales dans les écoles Heinz-Galinsky de Berlin, construites à l'époque contemporaine vers 1995. Hecker s'inspira du modèle du tournesol, avec un cercle au centre autour duquel s'organisent tous les éléments architecturaux.

L'édifice est une combinaison de réticules orthogonaux et concentriques, qui vise à représenter la symbiose entre la rigidité de la pensée humaine et le chaos contrôlé de la nature. Il imite la plante, qui suit l'orbite du soleil, pour que ses rayons illuminent toutes ses parties tout au long de la journée.

Visite aérienne des écoles Heinz-Galinsky, dessinées par Zvi Hecker. L'étagement est inspiré de la disposition des pétales d'un tournesol. Ici, l'architecte veut également imiter la nature, dans laquelle l'emplacement des pétales est étroitement lié à Φ.

PROJETS TROP PRÉCURSEURS

Le Monument à la IIIᵉ Internationale, proposé par le Russe Vladimir Tatlin (1885-1953), en 1920, ne fut pas construit, mais les maquettes le présentent comme une énorme tour en fer, verre et acier. Une double spirale de fer et d'acier devait entourer trois appartements-immeubles, entourés de fenêtres de cristal, qui tourneraient à des vitesses différentes. Le premier serait un cube et tournerait d'un tour par an ; le deuxième serait une pyramide, en rotation mensuelle ; et le dernier un cylindre qui tournerait quotidiennement.

Le Quincy Park, situé dans la ville de Cambridge, dans le Massachusetts (États-Unis), est plein de références à la spirale d'or. Il fut dessiné en 1997 par l'artiste David Phillips et se trouve très près du Clay Math Institute (CMI). Le CMI est un centre de recherche en mathématiques devenu célèbre, entre autres choses, parce qu'il offre depuis l'an 2000 un prix d'un million de dollars pour la résolution de chacun des sept problèmes mathématiques considérés comme les problèmes du nouveau millénaire. Au Quincy Park, on peut passer entre des statues représentant la spirale d'or, des courbes de métal, le relief de deux coquilles et une pierre avec une racine carrée. On trouve une plaque informative sur le nombre d'or, et même le parking de bicyclettes utilise le symbole de Φ.

Le Corbusier

Le Corbusier, novateur et radicalement moderne, n'hésita pas à se présenter comme le digne successeur de Luca Pacioli, en déclarant qu'il avait lui aussi cherché dans le passé. À l'époque du système métrique, Le Corbusier aspira à apporter sa propre contribution à l'exubérante histoire du nombre d'or. Il se plaignait du fait que le système avait dépersonnalisé les instruments de mesure et que, par conséquent, s'était perdue l'échelle humaine.

L'immeuble des Nations Unies à New York compte trois rectangles d'or.

LE CORBUSIER (1887-1965)

Charles-Édouard Jeanneret-Gris, dit Le Corbusier, était d'origine suisse mais fut naturalisé français. Il commença son apprentissage des métiers artistiques dans son pays natal. Finalement, il décida de s'orienter vers l'architecture. Il voyagea en Europe, en Amérique latine et aux États-Unis. Le Corbusier s'investit pleinement dans l'architecture, l'urbanisme et le *design* (certains des objets qu'il a dessinés, comme sa chaise longue, sont devenus des icônes contemporaines). Il fonda plusieurs revues influentes, prononça de nombreux discours et publia des traités théoriques, et enfin il fut un peintre remarquable. Il  construisit des maisons individuelles et de grands lotissements dans le monde entier. Il devint ainsi l'un des architectes les plus connus au niveau mondial. Il participa à la commission internationale chargée de dessiner l'immeuble des Nations Unies à New York. Quelque peu modifié par Niemeyer, autre géant de l'architecture et disciple de Le Corbusier, le projet de ce dernier finit par se réaliser. Il n'est, par conséquent, pas étonnant que trois rectangles d'or aient été intégrés à la façade du monumental édifice.

Pour la retrouver, il inventa sa propre échelle, basée sur les proportions d'or, mais passée au tamis des temps modernes. Comme réponse à *L'Homme de Vitruve*, il imagina *L'Homme de modulor* : « Le mètre, le centimètre, le décimètre n'appartiennent pas à l'échelle humaine, le *modulor*, si. J'ai pris les proportions depuis le plexus solaire jusqu'à la tête et au bras. J'y ai alors trouvé le nombre d'or et j'ai créé un système de mesure qui réponde aux dimensions du corps humain. Je l'ai découvert sans m'en rendre compte. Je ne suis pas prétentieux, mais c'est important et cela ouvre à l'industrie d'énormes possibilités ; c'est utile et moderne… c'est une innovation sensationnelle. »

Matila Ghyka recueillit la contribution de Le Corbusier dans le deuxième volume de son livre *Le Nombre d'or*, dans lequel il explique que le rectangle d'or « a rencontré un franc succès en architecture à travers des plans récents du plus célèbre apôtre et représentant des nouvelles tendances. » Il y décrit ensuite les plans de l'architecte pour le *Mundaneum* de Genève. Le Corbusier explique qu'il avait conçu le *Mundaneum* comme une ville rectangulaire, dans laquelle le rapport entre la longueur et la profondeur du rectangle était donné par Φ : « La section d'or définit les deux axes [de croissance], ainsi que les côtés de l'enceinte principale. [...] Le rythme est organisé en fonction de la section d'or, mesure qui a déterminé l'harmonie de tant d'œuvres à toutes les époques. »

Durant la période de la Seconde Guerre mondiale, les activités de construction furent interrompues, et l'on s'employa malheureusement à la tâche inverse. Le Corbusier consacra alors son temps libre à la théorie. Entre 1942 et 1948, il développa le *modulor*, un système de mesure destiné à la construction et au dessin de mobilier domestique basé sur la proportion d'or et les mesures d'un corps humain de type saxon (1,82 m de hauteur). Le livre *Le Modulor* fut publié en 1950 et connut immédiatement un franc succès. Ce livre eut une suite en 1955 : *Le Modulor 2*, qui adapte les mesures du prototype latin (1,72 m de hauteur).

Le système du *modulor* reprenait l'idéal classique qui prétend mettre en relation de manière directe les proportions des immeubles avec celles des hommes.

Statue du Modulor *réalisée à partir des mesures idéales suggérées par Le Corbusier dans son livre homonyme. L'homme avec la main levée mesure 226 cm, et sa moitié se situe au niveau de son nombril. Ces deux chiffres, multipliés ou divisés par Φ, donnent la suite de Fibonacci.*

LE NOMBRE D'OR DANS L'ŒUVRE DE LE CORBUSIER

La villa Savoy, à Poissy, dans la banlieue de Paris, est un exemple magistral de l'emploi par Le Corbusier des proportions fondées sur la raison d'or, tant à l'extérieur qu'à l'intérieur du bâtiment. Le Corbusier appliqua le même principe de façon systématique à l'Unité d'habitation de Marseille, qui est l'une des ses plus grandes réussites, tant par le caractère fonctionnel du design que par ses qualités esthétiques.

La villa Savoy est de nos jours une maison-musée et un monument national français.

Extérieur et intérieur de l'Unité d'habitation de Marseille. Dans celle-ci, l'architecte dessina tous les espaces en partant des proportions du système modulor.

La proportion d'or dans le dessin

La calligraphie commença avec l'utilisation de l'imprimerie, dans laquelle intervinrent pour le dessin des caractères certains des nombreux artistes évoqués dans ce livre comme Luca Pacioli, Léonard de Vinci ou Dürer. Dans cette discipline, ils ont appliqué les mêmes principes de proportionnalité que ceux qui ont régi le reste de leurs œuvres. Lors de la réalisation du *Livre des prières* de l'empereur Maximilien Ier, Dürer utilisa la proportion d'or dans le texte et les illustrations.

Cependant, même avant Gutenberg, le format des livres tendait à se rapprocher du nombre d'or. La proportion considérée comme la plus harmonieuse pour les livres est 1:1,6 (qui peut également s'exprimer comme 5:8), mais elle est réservée aux éditions de luxe, parce qu'elle optimise moins l'usage du papier. Le format le plus courant est appelé *proportion normalisée* et correspond à 1:1,4 (également exprimable sous la forme 5:7).

Même si, aux yeux des générations du numérique, tout ceci peut paraître relever de combats d'un autre temps, cela ne doit pas tomber dans l'oubli. Même aujourd'hui on utilise Φ pour le dessin des pages Web. De plus, la principale icône du design actuel, le reproducteur de fichiers MP3 de marque très connue, que la moitié de l'humanité écoute dans la rue, possède les dimensions d'un RO.

De même, les paquets de cigarettes sont des RO, depuis qu'une célèbre marque imposa ce design en 1955 dans une campagne de changement d'image. Finalement, la motivation était moins esthétique que pratique. Les actuels paquets sont fabriqués selon une ingénieuse méthode de pliage, qui permet en plus de faire un couvercle. C'est le système du *flip-top box*. Le principal rectangle de la boîte issue du pliage a des dimensions de 8,5×5 cm, dont le quotient donne Φ. Suite à son succès, cette boîte fut copiée dans le monde entier par toutes les marques.

On trouve aussi dans le design des vêtements des utilisations particulières de la proportion d'or. Une entreprise américaine dessina ses jeans en utilisant Φ dans la courbe de la poche avant, dans les proportions de la poche arrière, et dans la relation entre les coutures des hanches et les coutures intérieures des pantalons.

Un autre exemple de l'omniprésence de la proportion d'or nous est fourni par les terrains de jeu. Les terrains de football sont rectangulaires avec un module approximatif de 1,52 dans leur grande majorité.

LES GRENOUILLES DE FIBONACCI

Lors de l'Exposition Universelle de 2008, célébrée dans la ville espagnole de Zaragoza, les artistes Ángel Arrudi et Fernando Bayo distribuèrent 610 petites grenouilles à tout le public, 610 étant l'un des termes de la suite de Fibonacci. Au centre, ils ont placé une statue en béton en forme de cube planté dans la terre, où, grâce à la proportion d'or, était réalisée une jonction entre un cube et un cercle, avec la mesure du nombre *Pi*. L'installation s'intitulait *Ranillas*.

Mais certains sont différents, comme par exemple celui du Football-Club du Real de Madrid. Son terrain est un quasi-rectangle d'or, de module 1,606 (les mesures sont 106 × 66 m).

Bien qu'ils n'en aient habituellement pas conscience, bon nombre de dessinateurs de bandes dessinées utilisent Φ dans leurs dessins. Si nous appliquons Φ à une vignette rectangulaire 5×3, nous aurons 5 cm : 1,618 = 1,85 cm. Ainsi, on peut transposer ce résultat aux rectangles de quatre formes différentes.

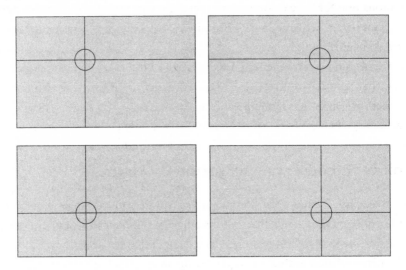

On peut vérifier que, dans les travaux de nombreux dessinateurs, les divisions de la vignette correspondent à des proportions d'or exactes.

Le design appliqué à la musique n'échappe pas non plus à la relation d'or. L'éminent luthier Stradivarius (1644-1737) prit la précaution de percer les trous de ses violons selon les proportions d'or. Malgré la rigueur de l'Italien, nous ne disposons d'aucune preuve de l'influence de cet emplacement sur la qualité du son. Quant aux compositeurs, Debussy comme Béla Bartók connaissaient et utilisaient dans leurs partitions la proportion d'or.

Chapitre 5

Le nombre d'or et la nature

Imaginons une forme très simple, un rectangle par exemple. Comment peut-il croître sans perdre sa forme initiale ? Intuitivement, nous pourrions penser qu'il va croître de manière uniforme, c'est-à-dire dans toutes les directions dans la même proportion – un peu comme si les côtés étaient élastiques et qu'ils s'étiraient petit à petit. Bien que cela semble très logique, si nous mesurions la croissance selon cette méthode, nous verrions que la forme du rectangle (la relation entre les longueurs des deux côtés) n'est pas constante, et donc qu'il perd sa forme.

Croître en conservant la forme d'origine

Dans le chapitre 2, nous avons vu que, si l'on ajoute à un rectangle d'or un carré dont le côté est égal à la longueur du rectangle, on obtient un autre RO. Ainsi, sa taille augmente mais sa forme se maintient, étant donné que tous les rectangles RO ont la même relation entre leurs côtés (évidemment, Φ). Il en est de même, mais cette fois-ci à l'inverse, si l'on retire un carré au RO. Pour cette raison, nous disions que le gnomon du RO est le carré. Cette propriété est propre aux RO et amène à la définition de Φ. Par conséquent, il est possible d'utiliser la proportion d'or pour faire varier la taille d'une figure sans en altérer la forme. Nous le vérifierons en observant la croissance des espèces vivantes, particulièrement les végétaux.

Pour comprendre ce que signifie exactement « conserver la forme d'origine », pensons un instant à l'être humain. Ses proportions sont-elles conservées ? Bien au contraire, nous pourrions dire que notre développement est un constant changement de proportions. Bien que nous le déplorions sans cesse, c'est une grande chance que d'évoluer avec l'âge. En effet, si nous conservions la forme que nous avions à la naissance, nous aurions de sérieux problèmes pour maintenir notre tête droite.

D'autre part, nous avons étudié la spirale d'or, dont la différence fondamentale avec les autres spirales est qu'elle s'agrandit à mesure qu'elle tourne. Le biologiste écossais d'Arcy Thompson (1860-1948), appelé « le premier biomathématicien », identifia le fait que la propriété chez certains êtres vivants de grandir et de croître

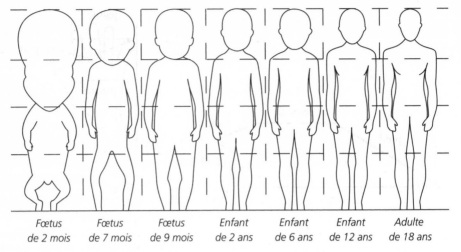

| Fœtus
de 2 mois | Fœtus
de 7 mois | Fœtus
de 9 mois | Enfant
de 2 ans | Enfant
de 6 ans | Enfant
de 12 ans | Adulte
de 18 ans |

Comparaison entre la proportion du crâne et du corps humain au fil de la croissance.

sans modification de la forme globale est caractéristique de la spirale logarithmique et d'aucune autre courbe mathématique : « Toute courbe plane qui part d'un pôle fixe et de telle manière que l'aire polaire d'un secteur soit toujours le gnomon de l'aire précédemment obtenue est une spirale logarithmique. »

Les insectes tracent une spirale d'or quand ils s'approchent d'un point de lumière. Si, au lieu de nous éloigner d'un point donné, nous souhaitions nous en approcher tout en conservant l'angle de rotation, nous pourrions seulement le faire ainsi. Les rapaces suivent cette trajectoire quand ils veulent chasser. C'est la seule qui leur permette de maintenir la tête droite, sans la changer de position, si bien qu'ils peuvent aller à la vitesse maximale sans jamais lâcher des yeux leur proie.

La proportion d'or pour les êtres vivants

L'Homme idéal de Léonard de Vinci impliqua la mise en œuvre d'une première réflexion sur la présence de Φ dans le monde animal. À partir de ce moment-là, l'histoire de l'art et de la science a donné naissance à de nombreuses études sur l'adéquation entre les différentes parties du corps humain et la proportion d'or. Mais déjà au Moyen Âge les mensurations humaines étaient utilisées comme patron. Les constructeurs français de cathédrales utilisaient un instrument de mesure formé de cinq tiges articulées dont les longueurs étaient la paume, le quart, l'empan, le pied et le coude. Ces mesures se fondaient sur la longueur du bras et du pied humains.

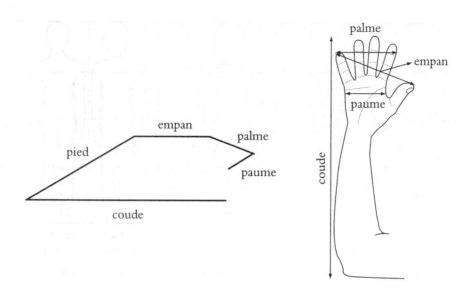

Toutes ces longueurs étaient des multiples d'une unité appelée *ligne*, qui représentait un peu moins de 2,5 mm (exactement 2,247). Le tableau suivant montre l'équivalence entre ces unités de mesure anciennes, la ligne, et nos unités contemporaines. On peut vérifier que les lignes sont des termes successifs de la suite de Fibonacci. D'ailleurs, la raison de chacune par rapport à la précédente est de Φ – ce qui est d'autant plus surprenant que les mesures anciennes étaient basées sur le corps humain.

Paume	34 lignes	7,64 cm
Palme	55 lignes	12,63 cm
Empan	89 lignes	20 cm
Pied	144 lignes	32,36 cm
Coude	233 lignes	52,36 cm

La phyllotaxie et la proportion d'or

La *phyllotaxie* est un mot d'origine grecque, composé de *phyllon*, qui signifie « feuille », et de *taxis*, qui veut dire « ordre ». Ainsi, en botanique, la phyllotaxie est la discipline qui étudie la disposition des feuilles sur une tige ; une disposition qui, comme nous le verrons, obéit à des règles géométriques et numériques. Cette discipline permet de découvrir des manifestations naturelles étonnantes par l'intelligence de leur dessin et qu'il est possible d'exprimer en termes mathématiques avec une précision surprenante.

SPIRALES

Une spirale est une courbe continue qui tourne autour d'un point central fixe sans jamais se recouper elle-même. Il existe différents types de spirales, tracées de manière différente, avec des propriétés propres dans chaque cas.

Le premier type est la *spirale d'Archimède*, ainsi nommée en l'honneur de son inventeur. On dit qu'il l'observa pour la première fois dans une toile d'araignée. Si nous enroulons une corde autour d'un bâton, quand nous la déroulons en la maintenant tendue, son extrémité décrit une spirale dans laquelle la distance au bâton est proportionnelle à l'angle de rotation. Une de ses propriétés les plus curieuses est que la distance entre deux spires est constante.

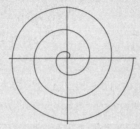 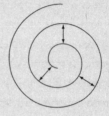

Si nous suivons le même processus avec une corde enroulée autour d'un cône, la spirale qui en résulte est la *spirale d'or* (la fameuse spirale logarithmique que nous avons rencontrée tout au long du livre). Dans ce cas, la spirale devient de plus en plus large en grandissant, comme on peut l'observer sur le dessin extérieur de la carapace d'un escargot ou la coquille d'un mollusque.

Une spirale projetée dans l'espace devient une hélice. Les spirales peuvent grandir à la rotation, comme nous le voyons dans les cornes de certains animaux ou dans un simple tire-bouchon. Il s'agit alors d'*hélices conoïdales*. Les hélices peuvent aussi avoir une largeur constante, comme par exemple les ressorts, les escaliers en colimaçon, les rubans qui s'enroulent ou encore la double hélice de l'ADN. Il s'agit dans ce cas d'*hélices cylindriques*.

Pour commencer, on peut simplement observer sur une plante quelconque que les feuilles ne poussent pas l'une sur l'autre. Si tel était le cas, elles se cacheraient l'une à l'autre la lumière du soleil dont elles ont besoin, mais aussi la pluie et l'oxygène. A priori, cela paraît logique mais, si nous y réfléchissons un moment, cela semble supposer une forme de conscience. Le plus surprenant est à venir. Une analyse détaillée de la disposition des feuilles de la plante révèle toujours un patron, c'est-à-dire une organisation.

JOHANNES KEPLER (1571-1630)

L'astronome allemand Johannes Kepler fut très tôt partisan de la théorie héliocentrique du mouvement des planètes de son collègue polonais Copernic, selon laquelle les planètes tournent autour du Soleil. La doctrine officielle continuait d'affirmer vigoureusement que la Terre était le centre de l'univers. Soutenir le contraire déclenchait la polémique et pouvait conduire à l'emprisonnement, voire la mort. Au début, Kepler adhéra sans réserve au concept pythagoricien selon lequel tout tourne autour des nombres. Il pensait trouver un modèle cosmologique basé sur les cinq solides platoniciens (les cinq uniques polyèdres réguliers possibles). Il les utilisa pour essayer d'expliquer par la géométrie les intervalles entre les orbites des six planètes connues à l'époque. Il le présenta dans son premier ouvrage en 1596, *Mysterium cosmographicum* (*Mystères cosmographiques*). Kepler essayait d'expliquer l'harmonie du monde selon la conception grecque, et *harmoniser* en grec signifie « emboîter ».

Le modèle est décrit de la façon suivante : « La sphère de la Terre est la mesure de toutes les orbites. Circonscris un dodécaèdre autour. La sphère qui l'entoure est l'orbite de Mars. Circonscris un tétraèdre autour de Mars. La sphère qui l'entoure est Jupiter. Circonscris un cube autour de Jupiter. La sphère qui l'entoure sera Saturne. Maintenant, inscris un icosaèdre dans l'orbite de la Terre. La sphère inscrite est l'orbite de Vénus. Inscris un octaèdre dans Vénus. La sphère inscrite dans ce dernier est celle de Mercure. »

Avec cette construction, Kepler obtint un beau modèle harmonieux, qui tient compte des observations et calculs de son époque, avec des erreurs infimes. Il n'avait cependant rien à voir avec la réalité – Kepler lui-même dut l'admettre peu après.

Les penseurs de la Grèce antique avaient déjà constaté certaines de ces propriétés, mais le premier à percer le mystère de cette disposition fut Léonard de Vinci. Le génie se rendit compte que les feuilles étaient disposées tout au long de la tige par groupes de cinq et suivant des spirales – ce qui implique que l'angle de rotation soit en lien avec des multiples de 1/5. Un peu plus tard, Kepler observa que le pentagone était présent dans les fleurs, qu'elles avaient souvent cinq pétales. De même pour les fruits, dont les graines sont souvent disposées selon un pentagone étoilé, comme la pomme.

La phyllotaxie et les mathématiques commencent à se rencontrer au XIXᵉ siècle grâce au naturaliste allemand Karl Schimper (1803-1867) et au cristallographe français Auguste Bravais (1811-1863). Ils remarquèrent tous deux la présence des nombres consécutifs de la suite de Fibonacci dans la pomme de pin. Dans leurs travaux, ils développèrent la règle générale des facteurs de la phyllotaxie, qui pouvaient s'exprimer comme des quotients des nombres de Fibonacci.

À compter de ce moment, la suite de Fibonacci et la botanique restèrent associées. En 1968, le mathématicien nord-américain Alfred Brosseau réalisa une étude avec 4 290 pommes de pin de dix espèces différentes de pins de Californie et vérifia que, à l'exception de 74 d'entre elles, toutes suivaient la suite de Fibonacci. Soit une coïncidence de 98,3 %. Passé un certain temps, comme c'est toujours le cas, la communauté scientifique devint sceptique et reprit l'étude. En 1992, le botaniste canadien Roger V. Jean refit l'étude avec 12 750 pommes de pin, provenant de 650 espèces différentes. La suite de Fibonacci était présente dans 92 % des cas.

Les feuilles de la majorité des plantes à tiges hautes se placent autour de cette dernière suivant une spirale et vérifient la *loi de divergence*. Cette loi établit que, pour chaque espèce de plante, l'angle que forment deux feuilles consécutives est constant et s'appelle *angle de divergence*. Cet angle s'exprime en degrés, comme une fraction dans laquelle le numérateur est le nombre de tours autour de la tige d'une feuille à l'autre et le dénominateur, le nombre de feuilles rencontrées sur ce chemin.

La série de Schomper-Braun, formée par les quotients entre l'un des termes de la suite de Fibonacci et celui qui se trouve deux places plus loin : a_n / a_{n+2}, permet de classer plusieurs espèces selon leur angle de divergence. Si nous nous rappelons que

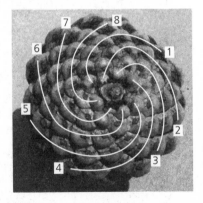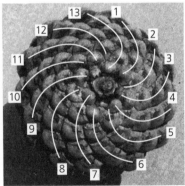

Les nombres de spirales de cette pomme de pin dans les deux sens de rotation, 8 et 13, sont des termes consécutifs de la suite de Fibonacci.

le quotient entre deux termes consécutifs, a_{n+1}/a_n, tend vers Φ, nous en déduisons que la série précédente tend vers $1/\Phi^2$. Le raisonnement mathématique est plus ou moins celui-ci :

$$\frac{a_n}{a_{n+2}} = \frac{a_n}{a_{n+1}} \cdot \frac{a_{n+1}}{a_{n+2}} \to \lim_{n\to\infty}\frac{a_n}{a_{n+1}} \cdot \frac{a_{n+1}}{a_{n+2}} = \lim_{n\to\infty}\frac{a_n}{a_{n+1}} \cdot \lim_{n\to\infty}\frac{a_{n+1}}{a_{n+2}} = \frac{1}{\Phi} \cdot \frac{1}{\Phi} = \frac{1}{\Phi^2}.$$

La véritable question est la suivante : comment les plantes « savent-elles » qu'elles doivent positionner leurs feuilles selon le modèle de la suite de Fibonacci ? La croissance des plantes commence à la base de la tige, qui a une forme conique. Si l'on observe une plante par au-dessus, on constate que les feuilles les plus basses, qui poussent en premier, semblent dessiner des radiales autour de la tige. À cet endroit, la tige est plus épaisse. Bravais découvrit que les nouvelles feuilles poussaient suivant une rotation de même angle, approximativement 137,5°. Si nous calculons

$$360° \cdot \frac{1}{\Phi^2} = \frac{360°}{\Phi^2}.$$

(les 360° correspondent à un tour complet), on obtient justement 137,5°, qui se nomme parfois l'*angle d'or*.

En empruntant le chemin inverse, c'est-à-dire depuis les mathématiques jusqu'à la botanique, une équipe de scientifiques dirigée par N. Rivier découvrit en 1984

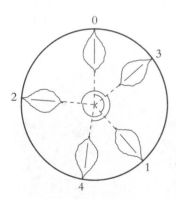

Les feuilles adjacentes d'une tige de tournesol sont séparées l'une de l'autre par une distance angulaire approximativement égale à 137,5°. C'est-à-dire que chacune tourne de 137,5° par rapport à la précédente.

qu'en utilisant un algorithme mathématique avec un angle de croissance égal à l'angle d'or, on obtenait des structures similaires à de vrais tournesols. Leur conclusion est intéressante : ce sont les propres besoins d'homogénéité et d'autosimilitude de la plante qui limitent de manière drastique les structures possibles. Ceci expliquerait la fréquente apparition des nombres de Fibonacci et de la proportion d'or en phyllotaxie. D'autres expérimentations au moyen de champs magnétiques montrent aussi des configurations avec des spirales d'or.

Dans cette répartition de graines virtuelles générées par ordinateur, on observe clairement l'apparition d'un grand nombre de spirales aux courbes distinctes. Si l'on compte les spirales qui, quel que soit leur sens de rotation, ont une longueur similaire, leurs nombres sont bien souvent des termes consécutifs de la suite de Fibonacci.

C'est ainsi que se corrobora l'expérience du mathématicien allemand Gerrit van Iterson, qui accumula des points successifs séparés de 137,5° en spirales et montra que l'œil humain apercevait des spirales qui tournent dans les deux sens des aiguilles d'une montre. Les nombres de spirales des deux catégories tendent à être des termes consécutifs de la suite de Fibonacci. Le tournesol en est la preuve la plus spectaculaire et la plus célèbre. Quand on observe un tournesol, on aperçoit des spirales formées par les graines (les pépins de tournesol), qui tournent dans les deux sens des aiguilles d'une montre. Les nombres de chacune d'entre elles sont aussi des termes consécutifs de la suite de Fibonacci. Les plus fréquents sont les paires 21-34, 34-55 et 89-144.

Cette caractéristique est-elle nécessaire à la croissance ou s'agit-il seulement d'une fascinante tendance généralisée ?

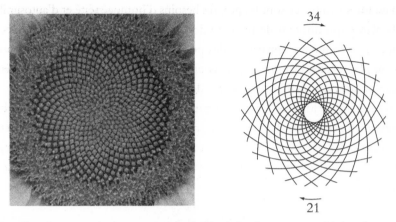

Cette fleur de tournesol présente une paire de 21 spirales dans un sens et 34 dans l'autre.

Il existe des similarités entre les feuilles d'une plante et les branches d'un arbre. Elles non plus ne naissent pas entassées, mais à nouveau en spirales. La taille d'un arbre varie tout au long de sa vie, mais son apparence extérieure, à savoir les proportions entre sa taille et la longueur de ses branches, de même que son aspect général restent les mêmes. Pour cette raison, il est possible de distinguer une espèce d'une autre à distance sans avoir à étudier attentivement les feuilles ou les écorces.

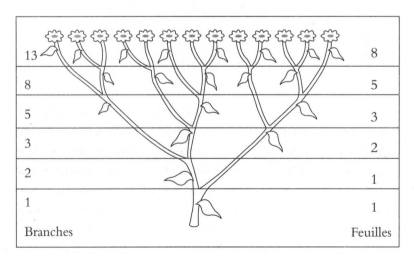

Le bouton-d'argent est l'une des nombreuses plantes dont la disposition des branches et des feuilles suit la règle de la suite de Fibonacci.

Fleurs et pétales

Le nombre de pétales de bien des fleurs correspond à l'un des termes de la suite de Fibonacci. C'est le cas du lilas (3), de la renoncule (5), du pied d'alouette (8), du souci (13) ou de l'aster (21). Chaque type de marguerite a un nombre de pétales distinct, mais dans tous les cas ce sont des nombres de Fibonacci (21, 34, 55, 89).

Le nombre de pétales de la marguerite est toujours un nombre de Fibonacci ; ici, 21.

Un lieu commun dans les histoires d'amour est le jeu de la marguerite, interrogée pétale après pétale : « Je t'aime, un peu, beaucoup… » Nous pourrions penser qu'un mathématicien amoureux pourrait faire tourner la situation à son avantage quand il s'agit d'effeuiller la marguerite. Mais ce n'est pas le cas. Heureusement, la nature et les suites de Fibonacci laissent encore place au hasard. L'inconnue reste intacte, bien que le nombre de feuilles de la marguerite soit un terme de la suite de Fibonacci, car dans cette dernière, il y a des nombres pairs et impairs et nous ne pouvons savoir combien de pétales aura une marguerite. La réponse à la question romantique demeurera imprévisible.

Comme c'est parfois le cas dans l'architecture, la présence de la proportion d'or dans les formes et les dimensions végétales peut sembler plus forcée que naturelle. Pourtant, les études de cas rigoureusement documentées ne sont pas seulement surprenantes, elles sont aussi magnifiques.

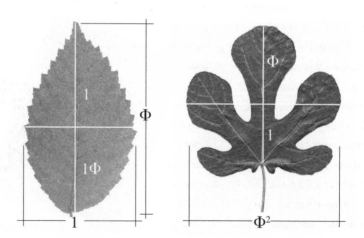

L'orme de montagne (Ulmus glabra) et, à côté, la feuille de figuier (Ficus carica).
On observe la proportion d'or de ces feuilles.

Le nautilus

La spirale équiangulaire ou d'or donne forme aux escargots, et son exemple le plus extraordinaire est peut-être celui du nautilus (*Nautilus pompilius*). La structure interne de sa coquille se construit par ajouts successifs de compartiments chaque fois plus grands mais qui conservent tous la même forme. Sur chaque partie préexistante de la coquille s'ajoute un nouveau compartiment, identique, mais plus grand.

Dans la structure en spirale du nautilus, on retrouve aussi l'écho des mouvements de turbulence dotés d'une vitesse d'expansion croissante, que nous pouvons observer dans les remous des fleuves ou dans l'eau qui coule d'un déversoir. À grande échelle, la spirale est également présente dans la disposition des galaxies.

Dans la nature, apparaissent d'autres types de spirales, comme celle que forme un ver en s'enroulant, dans laquelle la spire a une épaisseur constante. Il s'agit d'une spirale d'Archimède, qui n'a en réalité aucune relation avec Φ.

Il y a aussi dans la nature des structures qui ont une forme pentagonale, comme les étoiles de mer.

Les fractales et le nombre d'or

Dans le premier chapitre, nous avons vu deux expressions de Φ, la première sous forme de fraction continue, la seconde sous forme de racine d'autres racines :

$$\Phi = 1 + \cfrac{1}{1 + \cfrac{1}{1 + \cfrac{1}{1 + \cfrac{1}{1 + \ldots}}}} = \left[1,1,1,1,\ldots\right] = \left[\overline{1}\right] \tag{1}$$

$$\Phi = \sqrt{1 + \sqrt{1 + \sqrt{1 + \sqrt{1 + \ldots}}}} \tag{2}$$

Si nous développons l'une des deux expressions, nous obtiendrons des sous-divisions de sous-divisions, des racines de racines, et ce à l'infini. Quand nous nous serons lassés de cet exercice, nous pourrons regarder le dernier terme du développement, comme à travers un microscope imaginaire, et nous constaterons qu'aussi profond que nous ayons cru creuser, l'expression est toujours la même. Cet exercice mental plutôt compliqué est la porte d'entrée dans un nouveau monde : le monde des fractales, que nous pouvons observer depuis l'univers de Φ.

Le concept de fractale fit son apparition en 1975 avec la publication d'un essai du Français d'origine polonaise Benoît Mandelbrot (1924-2010), intitulé *Les*

Objets fractals : forme, hasard et dimension. Dans l'introduction, l'auteur explique qu'il a inventé les néologismes synonymes *objet fractal* et *fractale* à partir de l'adjectif latin *fractus*. Sept années plus tard, dans *La Géométrie fractale de la nature*, Mandelbrot redéfinit son objet comme « un ensemble dont la dimension de Hausdorff-Besicovitch est strictement supérieure à sa dimension topologique ». C'est ce que nous allons tenter d'expliquer, à défaut de pouvoir le rendre parfaitement limpide.

Nous savons que les objets géométriques « classiques » ont des dimensions entières : le point n'a aucune dimension, une droite a 1 dimension, un plan a 2 dimensions et l'espace en a 3. À l'inverse, la dimension fractale est une dimension décimale.

Benoît Mandelbrot, mathématicien qui développa le concept de fractale.

Du fait qu'elles se situent entre deux nombres entiers, les fractales ne peuvent se traiter comme une aire ou un volume « normaux ». Avoir une dimension non entière est parfaitement possible dans le royaume fractal. Une fractale avec une dimension supérieure à 1 et inférieure à 2 est une superficie délimitée par une courbe ou un ensemble de droites, mais qui n'est pas un plan pour autant (son périmètre est infini et n'admet aucune dérivée en aucun point).

C'est le cas pour la courbe de Koch, qui peut se construire au moyen d'un processus géométrique réitéré, comme nous le verrons par la suite. Si la dimension fractale se situe entre 0 et 1, comme pour le dénommé *ensemble de Cantor*, c'est un groupe de points alignés qui n'arrivent pas à former une droite, bien que leur nombre soit infini et qu'ils soient infiniment proches les uns des autres. Un curieux paradoxe géométrique, en effet.

L'une des caractéristiques des fractales est l'autosimilitude : c'est-à-dire que la figure reste la même, et ce quelle qu'en soit l'échelle. Que nous l'observions de très près ou de très loin, de manière globale ou dans le détail, l'image que nous verrons sera toujours la même.

La fractale appelée « flocon de neige »

La courbe ou fractale de Koch est aussi appelée « flocon de neige » car il s'agit d'une stylisation de la forme d'un flocon. Le flocon est l'une des premières figures fractales, définie par le mathématicien suisse Helge von Koch (1870-1924) en 1906, avant même la formalisation du concept et l'apparition du nom sous lequel il est aujourd'hui connu. Voyons comment il se forme et quelles sont ses propriétés.

Partant d'un triangle équilatéral, divisons chaque côté en trois parties égales. Ensuite, éliminons la partie centrale de chaque côté et dessinons vers l'extérieur un triangle équilatéral dont le côté est égal au segment que nous venons d'éliminer.

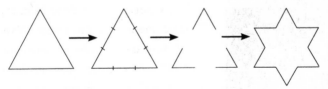

Poursuivons ce processus dans chacun des triangles équilatéraux chaque fois plus petits qui apparaissent. Avec un crayon et un papier, ce sera de plus en plus difficile, mais pour l'ordinateur ce sera un jeu d'enfant.

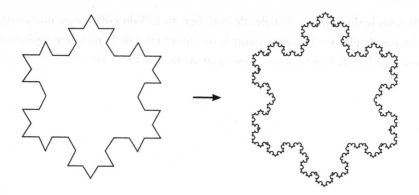

Nous obtenons ainsi une belle stylisation d'un flocon de neige, dont des images prises au microscope montrent qu'il a une structure hexagonale.

Nous allons essayer de calculer la longueur et l'aire de cette courbe. Dans chacune des étapes, nous remplaçons un segment de longueur 3 (de 3 segments) par un autre de longueur 4 (de 4 segments).

Ensuite, dans chaque répétition, nous multiplions la longueur initiale par 4/3. Ainsi, si la longueur initiale du triangle équilatéral était L, dans la répétition n la longueur de la courbe sera

$$L_n = L \cdot \left(\frac{4}{3}\right)^n.$$

Or, comme 4/3 est supérieur à 1, elle peut devenir aussi grande que nous le voulons ! En d'autres termes plus mathématiques, la longueur de la courbe de Koch, L_n, tend vers l'infini : il suffit juste de continuer afin qu'elle augmente autant que nous le souhaitons.

Voyons ce qui se passe avec l'aire. Supposons que l'aire du triangle initial soit de A=1.

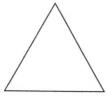

Si nous le divisons en triangles de côté égal au 1/3 du côté initial, nous avons 9 triangles de plus petite taille, auxquels on ajoute les 3 de la première répétition, c'est-à-dire 1/3 de l'aire initiale. Aussi, nous avons $A_1 = 1 + 1/3 = 4/3$.

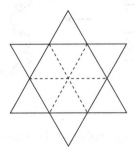

Dans chacune des pointes de l'étoile T_2, ajoutons dans les répétitions suivantes 4 petits triangles T_3, c'est-à-dire 4/9 de l'aire de ces pointes, qui sont la troisième partie du total de l'aire A_1 ; c'est-à-dire additionnons $\dfrac{4}{9} \cdot \dfrac{1}{3}$.

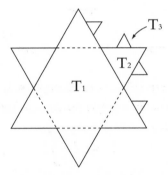

Avec le même raisonnement, dans chacune des répétitions suivantes, ajoutons 4/9 de l'aire des pointes. Nous obtenons alors comme aire :

$$A = 1 + \frac{1}{3} + \frac{4}{9} \cdot \frac{1}{3} + \left(\frac{4}{9}\right)^2 \cdot \frac{1}{3} + \left(\frac{4}{9}\right)^3 \cdot \frac{1}{3} + \ldots$$

Cette expression peut se calculer en sortant un facteur commun et en additionnant les parenthèses comme dans une progression géométrique indéfinie :

$$A = 1 + \frac{1}{3} \cdot \left(1 + \frac{4}{9} + \left(\frac{4}{9}\right)^2 + \left(\frac{4}{9}\right)^3 + \ldots\right) = 1 + \frac{1}{3} \cdot \frac{1}{1 - \dfrac{4}{9}} = 1 + \frac{1}{3} \cdot \frac{9}{5} = \frac{8}{5} = 1{,}6.$$

C'est-à-dire qu'après un nombre infini de répétitions, nous avons une courbe de longueur infinie qui couvre une superficie infinie, alors qu'elle fait seulement 1,6 fois l'aire du triangle initial.

La dimension de ce « flocon de neige » est comprise entre 1 et 2. Rappelons-nous la première étape : nous sommes passés d'un segment de longueur 3 à un de 4. Si nous nous positionnons sur la droite, sa dimension est 1, car $3^1 = 3$. Si nous construisons un carré de côté 3, nous aurons une aire de 9, car l'aire vérifie $3^2 = 9$ et la superficie est de dimension 2. Comme nous sommes passés à une longueur 4, nous devons trouver un nombre d, la dimension, tel que $3^d = 4$. Pour le trouver, nous devons utiliser les logarithmes.

$$d = \frac{\log 4}{\log 3} \cong 1{,}2619.$$

Comme nous le voyons, la dimension est fractionnaire, *fractus*, du latin ressuscité par Mandelbrot. De là le nom de *fractale*.

Il existe une variation de cette courbe qui n'est pas très commune : l'anti-*flocon de Koch*. Il se définit de manière similaire au flocon, si ce n'est que les répétitions se dirigent vers l'intérieur de la figure. La première répétition fut utilisée pour le logo d'une marque d'automobiles japonaise.

Mais les fractales sont bien plus qu'une curieuse distraction mathématique : d'une certaine manière, la nature est fractale. Pour le vérifier, rien de plus simple : observons les arbres. Les règles de croissance de leurs branches peuvent se modéliser au moyen de fractales avec une précision stupéfiante. Il y a de nombreux modèles fractals d'arbres qui se ramifient à chaque nœud suivant un angle déterminé, pour former des branches dont la longueur est celle de la branche précédente multipliée par un facteur f. Selon la valeur de ce facteur, les branches peuvent parfois se dissimuler, c'est-à-dire qu'elles se situeraient l'une au-dessus de l'autre. C'est un problème qu'il faut résoudre si nous souhaitons construire des systèmes efficaces ou des modèles de la réalité. Pour l'éviter, il convient de savoir quelle est la limite du facteur f. Les études montrent qu'il a un rapport avec Φ car il doit vérifier que $f = 1/\Phi$.

Au lieu de commencer l'arbre avec des droites, faisons-le par exemple à partir d'un triangle équilatéral, et plaçons sur chacun de ses sommets un autre triangle équilatéral dont le côté est égal au côté du triangle initial, multiplié par un facteur f (dans la figure, $f = 1/2$). Pour éviter que les branches ne se cachent, voire ne se touchent, la valeur maximale est aussi $f = 1/\Phi$.

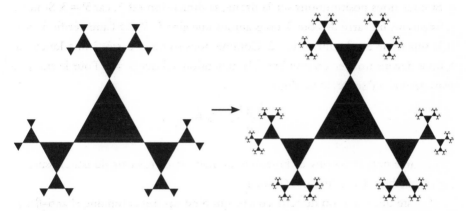

Le chou romanesco (*Brassica oleracea*) est le meilleur exemple de fractale naturelle. Sa structure apparaît avec clarté, nul besoin de calculs ni de formules mathématiques. Si nous en coupons un morceau quelconque, sa forme est toujours la même que celle de l'ensemble. Vérifions sa relation avec Φ en comptant les spirales qu'il forme dans les deux sens de rotation. Nous verrons alors que ce sont deux termes consécutifs de la suite de Fibonacci : il y a 8 spirales vers la droite et 13 vers la gauche.

Les spirales qui se forment dans le chou romanesco, aussi bien vers la gauche que vers la droite, sont des termes de la suite de Fibonacci.

141

Fin du voyage

Le monde des fractales est profond et complexe ; c'est pourquoi nous nous sommes contentés de l'évoquer. Les manifestations de Φ dans la dimension fractale se poursuivent bien au-delà, vers des terrains insoupçonnés. Ce qui nous intéresse directement, c'est de constater qu'un nombre ancien et vénérable, qui apparut dans les mathématiques il y a plus de vingt siècles, est toujours en parfaite connexion avec les connaissances mathématiques les plus avant-gardistes. Le nombre Φ n'a rien d'une antiquité qui aurait pris la poussière, bien au contraire : il continue sa vie, plus vigoureux que jamais.

Notre voyage s'arrête ici. Nous espérons l'avoir mené comme celui d'un explorateur, qui prend son temps en marge du sentier si le paysage en vaut la chandelle, plutôt que comme celui d'un touriste qui ne pense qu'à sa destination. Nous avons fait plusieurs haltes dans des lieux très divers : la peinture, l'architecture, l'astronomie, le dessin, la nature… Mais nous avons aussi voulu éclairer la route, afin d'avancer d'un pas ferme.

Nous venons de pénétrer dans un territoire aux horizons infinis. Nous avons simplement appris comment le parcourir, mais il reste encore beaucoup à découvrir. Puisse cette esquisse servir d'exemple à tous les intrépides en leur montrant les merveilles mathématiques qui les attendent. Sur le site Internet de la Western Washington University, nous trouverons les 10 000 premières décimales de Φ. En cherchant bien, nous y découvrirons à coup sûr notre date de naissance, mais aussi la plaque d'immatriculation de notre voiture. En réalité, nous pouvons y trouver n'importe quelle séquence mathématique.

Annexe

Textes originaux

Chapitre v de *La Divine Proportion* de Luca Pacioli

Dans le cinquième chapitre de *De divina proportione*, Pacioli donne les cinq raisons pour lesquelles il considère « la divine proportion » comme l'expression appropriée pour désigner la relation entre les segments qui résulte de l'extrême et moyenne raison. Le texte mêle des raisons philosophiques, théologiques et mathématiques.

Du titre qui convient au présent traité ou compendium

Il me paraît, Votre Excellence (le duc de Milan), que le titre approprié à notre traité doit être La Divine Proportion, *et cela en vertu du grand nombre de similitudes que je rencontre dans notre proportion, celles dont il s'agira dans ce très utile discours, qui correspondent à Dieu Lui-même. Pour ce faire, il sera suffisant de considérer quatre d'entre elles, parmi d'autres.*

La <u>première</u> est qu'elle est unique, parfaitement unique. Il est impossible de lui assigner d'autres catégories, ni distinctions. Et cette unité est l'épithète suprême de Dieu Lui-même, selon toutes les écoles théologiques et aussi philosophiques.

La <u>seconde</u> est celle de la Sainte Trinité, c'est-à-dire que, de même que, in divinis, il n'existe qu'une seule substance entre trois personnes, le Père, le Fils et le Saint-Esprit, de la même manière une même proportion se trouvera toujours entre trois termes, ni plus ni moins, comme nous le verrons.

La <u>troisième</u> est que, de même que Dieu ne peut à proprement parler Se définir ni Se donner à notre entendement au moyen de mots, notre proportion ne peut nullement se déterminer par un nombre rationnel ni s'exprimer de manière intelligible. Elle demeure toujours occulte et secrète et est appelée irrationnelle par les mathématiciens.

La <u>quatrième</u> est que, de même que Dieu ne peut jamais changer et qu'Il est présent en Tout et le Tout dans chaque partie, de la même manière notre proportion est toujours, dans toute quantité continue ou discrète, grande ou petite, la même et toujours invariable. Et d'aucune manière elle ne peut changer et notre intellect ne peut l'appréhender autrement, comme le démontrera notre explication.

La <u>cinquième</u> correspondance peut s'ajouter aux quatre précédentes : de même que Dieu confère l'Être à la vertu céleste, que l'on nomme aussi quintessence, et par elle aux autres corps simples, les quatre éléments, la terre, l'eau, l'air et le feu, et à travers eux à toute chose de la nature, de même, selon Platon dans son Timée, *notre sainte proportion confère l'être formel au ciel lui-même, en lui associant la figure du corps appelé dodécaèdre, ou corps à douze pentagones, lequel ne peut se former, comme démontré plus loin, sans notre proportion. De même, elle assigne une figure propre et différenciée à chacun des éléments : au feu la figure pyramidale appelée tétraèdre, à la terre le cube appelé hexaèdre, à l'air la figure de l'octaèdre et à l'eau l'icosaèdre. Et selon les savants, tous les corps réguliers sont occupés par ces formes et figures, comme il sera expliqué plus loin pour chacun d'entre eux. À travers eux, notre proportion donne aussi forme à une infinité de corps appelés dépendants. Et il n'est possible ni de proportionner entre eux ces cinq corps réguliers ni de comprendre qu'ils peuvent être circonscrits dans une sphère sans notre proportion. Bien que nous puissions ajouter d'autres correspondances, celles-ci suffisent pour justifier l'appellation du présent compendium.*

Présentation de *La Divine Proportion* de Luca Pacioli

L'extrait suivant est issu des deux chapitres consécutifs qui présentent la divine proportion dans l'œuvre de Pacioli. Le chapitre VII explique parfaitement comment reconnaître la proportion d'or et le chapitre VIII comment la calculer.

Le texte est reproduit tel qu'il fut écrit, ce qui peut entraîner quelques difficultés chez le lecteur. La principale est que la forme d'expression peut paraître aujourd'hui bien trop discursive. Des savoirs élémentaires enseignés aujourd'hui à l'école primaire, comme l'égalité de fractions, exigent de Pacioli de laborieux efforts d'explication et l'usage fréquent du concept et du mot *proportion*. À son époque, vers l'an 1500, l'écriture mathématique n'était pas encore très développée et le concept de formule était inconnu. On observera les difficultés que rencontre l'auteur pour exprimer

$$\frac{1+\sqrt{5}}{2}$$

uniquement avec des mots, sans utiliser de symboles.

La lecture de ce texte en vaut cependant la peine, non seulement pour son importance historique concernant la proportion d'or, mais aussi parce qu'il nous offre une photographie instantanée sur l'état des mathématiques dans une époque passée, ce qui enrichit le panorama des connaissances. De ce point de vue, les développements de Pacioli, de ses contemporains, mais aussi de ses prédécesseurs, acquièrent une tout autre dimension quand on comprend avec quelles difficultés il fallait se mouvoir dans les limites posées par un langage primitif et inadapté.

Chapitre VII

Du premier effet d'une ligne divisée selon notre proportion

Quand une ligne droite se divise selon la proportion qui a la moyenne et les extrémités, c'est ainsi que les savants nomment notre exquise proportion. Si s'ajoute à la plus grande partie la moitié de toute la ligne divisée proportionnellement, le carré de l'ensemble est nécessairement quintuple c'est-à-dire cinq fois plus grand que le carré de la moitié du total.

Avant de poursuivre, il faut expliquer comment il se doit de comprendre et d'inclure la dite proportion entre les quantités et comment l'appellent les plus savants dans leurs œuvres. Aussi, je dis qu'ils l'appellent proportio habens et duo extrema *– c'est-à-dire la proportion qui a la moyenne et les deux extrémités – ce qui est le cas pour tout ternaire : quel que soit le ternaire choisi, il aura toujours la moyenne avec ses deux extrémités ; ainsi, jamais la moyenne ne serait intelligible sans elles.*

Comment se comprennent sa moyenne et ses extrémités

Ayant compris comment se désigne notre proportion avec son nom particulier, il reste à expliquer comment il se doit de comprendre la moyenne et les extrémités en quelque quantité que ce soit ; mais aussi quelles conditions elles doivent remplir afin qu'il y ait entre elles la divine proportion. Pour cela, il faut savoir qu'entre des termes d'un même genre il y a toujours, par nécessité, deux habitudes, c'est-à-dire deux proportions : à savoir, l'une entre le premier terme et le second, et l'autre entre le second et le troisième. Verbi gratia : soit trois quantités du même genre, que d'une autre manière il ne faut pas comprendre qu'il y ait entre elles une proportion, soit la première a et 9 pour nombre, la seconde b et 6, la troisième c et 4.

J'affirme qu'entre elles il y a deux proportions, une entre a et b, entre le 9 et le 6, que nous nommerons dans cet ouvrage sesquialtère, et c'est quand le terme supérieur contient une fois et demi le terme inférieur, car le 9 contient le 6 plus le 3, la moitié de 6 ; c'est pour cette raison qu'il se nomme sesquialtère. […] De plus, soit la seconde, b, avec la troisième, c, c'est-à-dire le 6 avec le 4, une autre proportion sesquialtère. Nous ne nous préoccupons pas maintenant de savoir si elles sont semblables ou dissemblables car notre intention est seulement d'expliquer comment il existe nécessairement deux proportions entre trois termes de la même espèce. J'affirme de la même manière que notre proportion divine remplit les mêmes conditions ; c'est-à-dire que, toujours entre ses trois termes, la moyenne et les deux extrémités, elle contient invariablement deux proportions qui ont la même dénomination. Et ceci, qu'elles soient continues ou discontinues, peut arriver d'une infinité de façons différentes, car parfois entre ses trois termes sera une paire, d'autres fois un triplé, et sic in ceteris pour toutes les espèces connues. Mais entre le terme médian et les extrémités de notre proportion, il ne peut y avoir de variations.

Pour cette raison, il faut savoir, pour la reconnaître parmi les nombreuses quantités qui se présentent, qu'elle se trouve toujours disposée en proportionnalité continue entre ses trois termes, de façon à ce que le produit de la petite extrémité par la somme du plus petit et du moyen est égal au carré du moyen, si bien que cette somme sera nécessairement sa grande extrémité ; et quand ces trois quantités d'un quelconque genre se retrouvent de la sorte ordonnées, on dit qu'elles sont selon la proportion qui a la moyenne et les deux extrémités ; sa grande extrémité est toujours la somme du plus petit et du moyen, et nous pouvons dire que cette grande extrémité est la quantité totale divisée par ces deux parties, c'est-à-dire l'extrémité inférieure et moyenne de cet ensemble de termes. Il faut noter pour quelle raison cette proportion ne peut pas être rationnelle, et pourquoi la petite extrémité ne peut jamais, par rapport à la moyenne, se nommer par un nombre quelconque, étant admise la rationalité de l'extrémité supérieure ; ce pourquoi elles seront toujours irrationnelles, comme il est clairement dit ci-dessous. Et cela, de la troisième manière, en accord avec Dieu, ut supra...

Chapitre VIII

Comment se comprend la quantité divisée selon la proportion qui a la moyenne et les deux extrêmes

Nous devons savoir que, tout bien considéré, cette division d'une quantité selon la proportion qui a la moyenne et les deux extrêmes veut dire : faire de cette quantité deux parties iné-gales de telle manière que le produit de la partie inférieure par toute cette quantité indivise corresponde au carré de la partie supérieure. Mais sachant qu'il serait gênant de diviser cette quantité selon la proportion qui a la moyenne et les deux extrêmes, et s'il voulait, en échange, faire deux parties de telle manière que le produit de l'une par la quantité totale soit égal au carré de l'autre partie, celui qui s'y entend bien et qui est expert dans cet art devra réduire la proposition à cette quantité pour qu'elle soit égale au carré de l'autre partie ; il devra réduire la proposition à notre proportion, car elle ne peut être interprétée d'une autre manière.

Ainsi, celui à qui on dira : « Fais-moi de 10 deux parties telles que, multipliant une par 10, cela équivaille à l'autre multipliée par elle-même », traitant ce cas et d'autres similaires, selon les indications que nous avons données dans la pratique spéculative appelée algèbre, et almucabala sous un autre nom, et la règle que nous avons donnée, sur ce point dans notre œuvre, trouvera comme solution qu'une partie, c'est-à-dire la plus petite, est 15 moins la racine de 125 et que l'autre, la plus grande, est racine de 125 moins 5. Et ces parties, ainsi décrites, sont irrationnelles, et dans notre art elles se nomment restes, et comptent 6 espèces. Et de manière ordinaire, ces parties s'énoncent ainsi : la petite, 15 moins racine de 125. Cela signifie que, prise en compte la racine de 125, qui est un peu plus que 11, et soustraite de 15, restera un peu plus que 3, ou disons, un peu moins que 4. Et la plus grande s'énonce : racine de 125 moins 5 ; et cela veut dire que, prise en compte la racine de 125, qui est un peu plus que 11, en lui enlevant 5, il resterait un peu plus que 6, ou disons, un peu moins que 7 pour cette grande partie. Mais ces opérations, multiplier, additionner, soustraire, diviser des restes, binômes et racines et toutes les autres quantités rationnelles et irrationnelles, entières et fractionnaires, de toutes les manières, parce que nous les avons parfaitement démontrées dans notre œuvre précédente, peu nous importe de les répéter dans ce traité, car il s'agit seulement de dire des choses nouvelles et non celles déjà dites et réitérées.

Une fois divisée ainsi toute la quantité, nous aurons toujours trois termes ordonnés dans la proportionnalité continue selon laquelle l'un est toute la quantité ainsi divisée, c'est-à-dire, la grande extrémité comme ici dans le cas proposé, 10 ; l'autre est la partie supérieure, c'est-à-dire la moyenne, comme la racine de 125 moins 5 ; et le troisième, la petite, c'est-à-dire 15 moins la racine de 125. Entre eux il y a la même proportion, c'est-à-dire, du premier au second comme du second au troisième, et ainsi à l'inverse, du troisième au second comme du second au premier. Et autant quand on multiplie le petit, c'est-à-dire 15 moins la racine de 125, par le grand, qui est 10, que quand on multiplie le moyen par lui-même, c'est-à-dire, la racine de 125 moins 5, aussi bien l'un comme l'autre produit donne 150 moins racine de 12 500, comme recherché par notre proportion. Pour cela, il se dit que 10 est divisé selon la proportion qui a la moyenne et les deux extrémités, et sa partie supérieure est racine de 125 moins 5, et la petite est 15 moins racine de 125, l'une et l'autre étant nécessairement irrationnelles. Et cela est tout ce qui se réfère à la quantité ainsi divisée.

Éléments de géométrie d'Euclide

Le livre VI des *Éléments* d'Euclide contient la théorie euclidienne de la proposition à la géométrie plane. Dans ce livre sont établis les théorèmes des triangles semblables et les constructions de la troisième, de la quatrième et de la moyenne proportionnelle. C'est la première apparition documentée de la proportion d'or. Nous la trouvons dans son expression la plus classique dans la définition 3, comme proportion entre « moyenne et extrême raison », et dans la proposition 30, avec un exemple d'application.

Livre VI

Définitions

3. Une droite est dite coupée en extrême et moyenne raison quand la droite totale est au plus grand segment ce que le plus grand segment est au plus petit.

Propositions

Proposition 30. Diviser une droite finie donnée en moyenne et extrême raison.
    Soit la droite AB finie et donnée.

    Il faut diviser cette droite AB en moyenne et extrême raison.

    Construisez le carré BC sur la droite AC et sur la droite AC appliquez un parallélogramme CD qui soit égal au carré BC et dont le parallélogramme excédent AD soit semblable au carré BC.

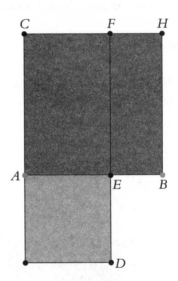

    La figure BC est donc un carré, la figure AD sera donc aussi un carré ; et comme BC est égal à CD, si on retranche la partie commune CE, la figure restante BF sera égale à la figure restante AD. Mais ces deux figures sont équiangulaires ; donc les côtés BF, AD qui entourent les angles égaux sont inversement proportionnels : donc FE est à ED comme AE est à EB ; mais FE est égal à AC, c'est-à-dire à AB et ED est égal à AE. Donc AB est à AE comme AE est à EB ; mais AB est plus grand que AE : donc AE est plus grand que EB.

La droite AE a été divisée au point E en extrême et moyenne raison, et sa partie AE est son plus grand segment.

Bien que le livre VI soit le plus connu pour sa référence à la proportion d'or, Euclide la mentionne déjà dans la proposition 11 du livre II, qui prétend résoudre de manière géométrique l'équation $a\,(a - x) = x^2$. Fondamentalement, cette proposition est la même que la proposition 30 du livre VI, sa seule différence réside dans la terminologie. On pourrait même dire que la 11 (II) est la première proposition où apparaît la proportion d'or, mais l'auteur semble vouloir réserver ces questions pour plus tard. À ce moment, il les cache derrière un problème de rectangles. En tout cas, avec celui-ci il démontre aussi qu'un quelconque problème sur les proportions entre droites peut se transformer en problème d'aires de rectangles.

Livre II

Proposition 11. Diviser une droite donnée de manière à ce que le rectangle compris sous la droite entière et l'un de ses segments soit égal au carré de l'autre segment.

Soit AB la droite donnée.

Il faut diviser la droite AB de manière à ce que le rectangle compris sous la droite entière et l'un de ses segments soit égal au carré de l'autre segment.

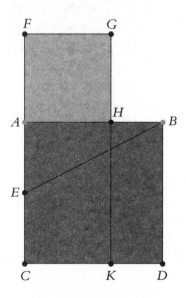

Sur la droite AB, construisez le carré ABCD et divisez la droite AC en deux parties égales en E et tracez la droite BE. Prolongez ensuite la droite CA vers F puis faites la droite EF égale à la droite BE, et construisez à partir de AF le carré FH et prolongez la droite GH jusqu'à K.

Comme la droite AC est divisée en deux parties égales en E, si nous lui ajoutons directement la droite AF, le rectangle compris sous les droites CF, FA et le carré AE pris ensembles seront égaux au carré EF. Mais la droite EF est égale à la droite EB : donc le rectangle compris sous CF, FA et le carré AE, pris ensembles, sont égaux au carré EB ; mais les carrés de BA, AE sont égaux au carré EB car l'angle BAE est droit. Ainsi le rectangle compris sous CF, FA avec le carré AE est égal au carré BA, AE. Donc si on retranche le carré AE qui est commun, le rectangle compris sous CF, FA, car la droite AF est égale à la droite FG, et le quarré AB est égal au carré AD. Donc si on retranche le rectangle commun AK, le carré FH sera égal au rectangle HA, mais HA est le rectangle compris sous les droites AB, BH, car AB est égal à BD et que FH est le carré de AH : ainsi, le rectangle compris sous AB, BH est égal au carré de AH.

De cette manière, la droite AB est divisée au point H de manière à ce que le rectangle compris sous AB, BH est égal au carré de AH.

Fibonacci et le *Liber abaci*

Le *Liber abaci* de Leonardo Pisano, appelé Fibonacci, était un énorme volume, rempli d'intéressants problèmes basés sur l'arithmétique et l'algèbre que son auteur avait découverts lors de ses voyages. L'intention de Fibonacci était de démontrer l'utilité du système décimal arabo-hindou et de sa numérotation, et de favoriser son introduction en Europe. Le premier paragraphe de l'œuvre implique l'entrée en scène, pour la première fois dans l'histoire de l'Occident, des nombres tels que nous les connaissons aujourd'hui dans le monde entier.

Les neuf nombres indiens sont : 9 8 7 6 5 4 3 2 1.

Grâce à ces neuf chiffres, et avec le zéro, que les Arabes appellent zephyr, *on peut écrire n'importe quel autre nombre, comme nous le démontrerons plus tard. Un nombre est une somme d'unités, et à travers l'addition de celles-ci, le nombre peut augmenter sans fin. D'abord apparaissent les nombres de zéro à dix. Puis, à partir des dizaines se construisent les nombres qui vont de dix à cent. Puis, à partir des centaines, se forment*

les nombres qui vont de cent à mille… Et de cette manière, en une succession d'opéra-
tions sans fin, n'importe quel nombre se construit en unissant les nombres précédents.
Le premier des chiffres dans l'écriture des nombres s'écrit à droite. Le second suit le
premier à sa gauche.

Comme nous pouvons le constater, Fibonacci appelait « indiens » les nombres
arabo-hindous. Cependant, il les écrivait de droite à gauche, suivant la tradition
arabe. La révolution qu'engendra l'arrivée de ces nombres n'était pas d'ordre
purement pratique. Avec eux, Fibonacci importa un concept très puissant : le zéro.
Comme nous venons de le voir, les arabes désignaient le zéro par un mot signifiant
« chiffre » : *zephyr*.

Au chapitre XII de la même œuvre apparaît le problème pour lequel Leonardo
Pisano est devenu célèbre : le problème des lapins. Ci-dessous figure le texte
original, avec ses annotations situées en marge.

Début, 1	*Un homme avait un couple de lapins enfermés dans un enclos et il voulait savoir combien de lapins pouvaient naître de ce couple en un an, car de manière naturelle les lapins peuvent engendrer un couple par mois, et chaque nouveau couple peut déjà procréer le mois suivant.*
Premier mois, 2	*Quand le premier couple procrée le premier mois, l'homme double le nombre de ses lapins ; il y aura 2 couples en un mois.*
Second, 3	*L'un d'eux, celui qui était le premier, procrée le second mois, et ainsi, il y aura déjà 3 couples le second mois ; de ceux-ci, en un mois, deux couples procréent, ce qui fait que le troisième mois, naissent deux*
Troisième, 5	*couples de lapins et il y a ainsi 5 couples pendant ce mois ; trois couples*
Quatrième, 8	*procréent le quatrième mois, il y a donc 8 couples le quatrième mois, desquels cinq couples procréent cinq autres couples ; ceux-ci s'ajoutent*
Cinquième, 13	*aux huit antérieurs ce qui donne 13 couples le cinquième mois ; ces cinq couples qui naquirent ce mois ne s'accouplent pas, mais les huit*
Sixième, 21	*autres couples procréent, il y a ainsi 21 couples le sixième mois, aux-quels il faut ajouter les treize couples qui naquirent le septième mois, il*
Septième, 34	*y aura ainsi 34 couples ce mois-là, auxquels il faut ajouter les vingt-*
Huitième, 55	*et-un couples qui naissent le huitième mois ce qui fait un total de 55 couples ce mois là ; auxquels il faudra ajouter trente-quatre couples qui*
Neuvième 89	*naissent le neuvième mois et nous aurons déjà 89 couples ce mois-là ;*

	auxquels il faut ajouter une autre fois les cinquante-cinq couples qui
Dixième, 144	*naissent le dixième mois et nous aurons déjà 144 couples ce mois-*
	là, auxquels s'ajoutent une fois de plus les quatre-vingt-neuf couples
Onzième, 233	*nés le onzième mois, ce qui nous amène à un total de 233 couples ce*
	mois-là. À ceux-ci s'ajoutent encore les cent quarante-quatre couples
	qui naquirent le dernier mois de l'année. À la fin d'une année entière,
Douzième, 377	*le couple avec lequel nous avons commencé aura généré 377 couples.*

On peut observer dans la marge de quelle manière nous avons opéré : nous avons ajouté le premier nombre au second, c'est-à-dire le 1 et le 2, et le second au troisième et le troisième au quatrième et le quatrième au cinquième, et ainsi l'un après l'autre jusqu'à ce que nous ajoutions le dixième au onzième, c'est-à-dire 144 à 233, et nous obtenons le nombre de lapins mentionné ci-dessus, c'est-à-dire 377, qui peut continuer à croître sans fin.

La série de nombres qui présente ce problème et la proportion dans laquelle ils augmentent seront postérieurement connus sous le nom de « la suite de Fibonacci », bien que son auteur n'ait pas su qu'ils allaient porter son nom. En effet, ils l'acquièrent bien des siècles plus tard. De fait, Kepler lui-même mentionne ses nombres dans une publication datée de 1611 décrivant ses proportions de manière compliquée : « Comme 5 est à 8, 8 est à 13, 13 est à 21. »

Plus de cent ans plus tard, Jacques Binet (1786-1856) développa une formule pour trouver un quelconque nombre de la suite de Fibonacci à partir de sa position dans la suite. Avec la formule de Binet, on peut par exemple trouver le nombre 118 de la suite de Fibonacci sans l'aide des calculs précédents. Le développement pour arriver à la formule de Binet est assez complexe, aussi nous contenterons-nous de le présenter brièvement et de donner un exemple de ses résultats.

Il paraît clair que la définition de la suite de Fibonacci est récurrente, c'est-à-dire qu'il faut calculer plusieurs termes antérieurs pour trouver un terme en particulier. Si les nombres de Fibonacci sont définis par les équations

$$F_0 = 0$$
$$F_1 = 1$$
$$F_n = F_{n-1} + F_{n-2} \text{ pour } n = 2, 3, 4, 5...$$

ces équations définissent la relation de récurrence

$$F_{n+2} - F_{n+1} - F_n = 0.$$

Le lecteur intéressé peut avoir recours au texte général du livre, où il sera conduit pas à pas vers le quotient F_{n+1}/F_n et sa valeur limite, appelée ϕ ou section d'or. Il y rencontrera aussi cette expression

$$\phi = \frac{1+\sqrt{5}}{2}$$

qui est une base de plusieurs calculs arithmétiques postérieurs. Binet arriva à la formule

$$F_n = \frac{1}{\sqrt{5}}\left[\phi^n - \left(-\frac{1}{\phi}\right)^n\right]$$

par tout un cheminement laborieux que nous ne reproduirons pas ici.

En substituant la valeur de ϕ dans $\left[\phi^n - \left(-\dfrac{1}{\phi}\right)^n\right]$ on obtient la formule en termes de nombres réels.

$$F_n = \frac{1}{\sqrt{5}}\left[\phi^n - \left(-\frac{1}{\phi}\right)^n\right] = \left[\left(\frac{1+\sqrt{5}}{2}\right)^n - \left(\frac{1-\sqrt{5}}{\frac{\sqrt{5}+1}{2}}\right)^n\right] =$$

$$= \frac{1}{\sqrt{5}}\left[\left(\frac{1+\sqrt{5}}{2}\right)^n - \left(\frac{1-\sqrt{5}}{2}\right)^n\right].$$

Bibliographie

CONWAY, J.H. ET R.K. GUY : *Le Livre des nombres*, Paris, Eyrolles, 1998.

CORBALÁN, F. : *La Matemática aplicada a la vida cotidiana*, Barcelona, Graó, 1995.

— : *Números, Cultura y Juegos. Tu mundo y las matemáticas*, Madrid, Editorial Videocinco, 1996.

— : *Matemáticas de la vida misma*, Barcelona, Graó, 2007.

GHYKA, M.C. : *Esthétique des proportions dans la nature et dans les arts*, Paris, Éditions du Rocher, 1998.

— : *Le Nombre d'or* Paris, Gallimard, 1976.

HUNTLEY, H.E. : *La Divine Proportion. Essai sur la beauté mathématique*, Paris, Navarin, 1986.

LINN, C.F. : *The Golden Mean – Mathematics and the Fine Arts*, New York, Doubleday & Company, Inc., 1974.

LIVIO, M. : *The Golden Ratio: The Story of Phi, the World's Most Astonishing Number*, London, Broadway Books, 2003.

MORENO, R. : *Fibonacci, el primer matemático medieval*, Madrid, Nivola, 2004.

PACIOLI, L. : *Divine Proportion*, Paris, Librairie du Compagnonnage, 1996.

STEEN, L.A. : *Mathematics Today: Twelve Informal Essays*, New York, Random House, 1988.

WELLS, D. : *Le Dictionnaire Penguin des nombres curieux*, Paris, Eyrolles, 2000.

Index analytique